La collection
ÉTOILES VARIABLES
est dirigée par
André Vanasse

Dans la même collection

Donald Alarie, *Au café au ailleurs*
André Brochu, *Adèle intime*
André Brochu, *Matamore premier*
Anne Dandurand, *La marquise ensanglantée*
Claire Dé, *Bonheur, oiseau rare*
Jean Désy, *Nomades en pays maori. Propos sur la relation père-fille.*
Daniel Gagnon, *Fortune Rocks*
Marc Gendron, *Le prince des ouaouarons*
Marc Gendron, *Titre à suivre*
Hélène Rioux, *Dialogues intimes*

Rire noir

Du même auteur

Romans

Agénor, Agénor, Agénor et Agénor, Montréal, Les Quinze, 1981.
La tribu, Montréal, Libre Expression, 1981.
Ville-Dieu, Montréal, Libre Expression, 1983.
Aaa, Aâh, Ha ou les amours malaisées, Montréal, L'Hexagone, 1986.
Les plaines à l'envers, Montréal, Libre Expression, 1989.
Nulle part au Texas, Montréal, Libre Expression, 1989.
Je vous ai vue, Marie, Montréal, Libre Expression, 1990.
Ailleurs en Arizona, Montréal, Libre Expression, 1991.
Le voyageur à six roues, Montréal, Libre Expression, 1991.
Pas tout à fait en Californie, Montréal, Libre Expression, 1992.
De Loulou à Rébecca (et vice versa, plus d'une fois), Montréal, Libre Expression, 1993. (Sous le pseudonyme d'Antoine Z. Erty.)
Moi, les parapluies…, Montréal, Libre Expression, 1994.
Vie de Rosa, Montréal, Libre Expression, 1996.
Vie sans suite, Montréal, Libre Expression, 1997.
Cadavres, Paris, Gallimard (Série Noire), 1998.
Tant pis, Montréal, VLB éditeur, 2000.
Chiens sales, Paris, Gallimard (Série Noire), 2000.
Une histoire de pêche, Copenhague, Gyldendal (collection Fiction française), 2000.
J'enterre mon lapin, Montréal, VLB éditeur, 2001.
L'ennui est une femme à barbe, Paris, Gallimard (Série Noire), 2001.
Route barrée en Montérégie, Montréal, Libre Expression, 2003.

Nouvelles

Longues histoires courtes, Montréal, Libre Expression, 1992.

Essais

Courir à Montréal et en banlieue, Montréal, Libre Expression, 1983.
Écrire en toute liberté, Trois-Pistoles, Éditions Trois-Pistoles, 2001.
Carnets de campagne, Saint-Lambert, Les Heures Bleues, 2002.

Livres jeunesse

Premier boulot pour Momo de Sinro, Montréal, Québec Amérique, 1998.
Pince-nez le crabe en conserve, Montréal, Éditions Pierre Tisseyre, 1999.
Premier trophée pour Momo de Sinro, Montréal, Québec Amérique, 2000.
Première blonde pour Momo de Sinro, Montréal, Québec Amérique, 2001.
Première enquête pour Momo de Sinro, Montréal, Québec Amérique, 2002.
Petit héros dit ses premiers mots, Montréal, Les 400 coups, 2002.
Petit héros fait ses premiers pas, Montréal, Les 400 coups, 2002.
Premier voyage pour Momo de Sinro, Montréal, Québec Amérique, 2003.
Petit héros fait ses premières dents, Montréal, Les 400 coups, 2004.
Le nul et la chipie, Saint-Lambert, Soulières éditeur, 2004.
Petit héros fait pipi comme les grands, Montréal, Les 400 coups, 2004.

Site Internet de l'auteur : www.barcelo.ca
Adresse de courriel : barcelof@aei.ca

François Barcelo

Rire noir

nouvelles

XYZ
éditeur

La publication de cet ouvrage a été rendue possible grâce à l'aide financière du ministère du Patrimoine canadien par l'entremise du Programme d'aide au développement de l'industrie à l'édition (PADIÉ), du
Conseil des Arts du Canada (CAC), du ministère de la Culture et des
Communications du Québec (MCCQ) et de la Société de développement des entreprises culturelles (SODEC).

XYZ éditeur
1781, rue Saint-Hubert
Montréal (Québec)
H2L 3Z1
Téléphone : 514.525.21.70
Télécopieur : 514.525.75.37
Courriel : info@xyzedit.qc.ca
Site Internet : www.xyzedit.qc.ca

et

François Barcelo

Dépôt légal : 4ᵉ trimestre 2004
Bibliothèque nationale du Canada
Bibliothèque nationale du Québec
ISBN 2-89261-408-2

Distribution en librairie :
Canada :   Europe :
Dimedia inc.   D.E.Q.
539, boulevard Lebeau   30, rue Gay-Lussac
Ville Saint-Laurent (Québec)   75005 Paris, France
H4N 1S2   Téléphone : 1.43.54.49.02
Téléphone : 514.336.39.41   Télécopieur : 1.43.54.39.15
Télécopieur : 514.331.39.16   Courriel : liquebec@noos.fr
Courriel : general@dimedia.qc.ca

Conception typographique et montage : Édiscript enr.
Maquette de la couverture : Zirval Design
Photographie de l'auteur : Ludovic Fremaux

Le héros de Bougainville

Une conversation de deux courtes répliques d'une suprême banalité suffit à rendre Rosario Gosselin éperdument amoureux d'Alice-Carole Paradis. Malheureusement pour lui, cet échange de paroles eut aussi pour résultat que le nouvel objet de sa flamme le prit en grippe de façon plus absolue encore.

La veille, Alice-Carole Paradis était arrivée à Bougainville pour travailler au centre d'accueil Lionel-Duval, institution consacrée à l'entretien d'adolescents et de jeunes adultes de débilité moyenne ou profonde. Elle venait y occuper un poste d'éducatrice (c'est ainsi qu'on appelle les spécialistes qui s'efforcent de transformer les débiles moyens en débiles légers, et les profonds en moyens).

Rosario Gosselin était, pour sa part, depuis plus de dix ans chauffeur des véhicules utilisés par le même centre d'accueil pour son approvisionnement ainsi que pour le transport du personnel et des bénéficiaires (c'est le nom qu'on donne officiellement aux pensionnaires des maisons de santé).

Cet après-midi-là, comme tous les mardis après-midi entre la Saint-Jean-Baptiste et la fête du Travail, Rosario était chargé de conduire en minibus à la plage du lac aux Quenouilles quatre des bénéficiaires jugés les plus récupérables. Il était accompagné de l'éducatrice fraîchement arrivée et d'un préposé (c'est ainsi qu'on désigne, dans ces institutions, les employés ne possédant aucune formation précise), chargés de faire faire aux bénéficiaires des exercices aquatiques dont le sens et l'utilité lui échappaient totalement.

Luc Cailler, le préposé désigné pour les accompagner, avait fait les présentations. Rosario ne s'était pas immédiatement rendu compte qu'Alice-Carole était jolie. Elle avait pris place à côté de lui, à l'avant du minibus. Et c'est à peine s'il jeta de temps à autre un coup d'œil en coin vers ses cuisses fines sous un jean pas trop serré ou vers sa poitrine peu abondante, dans un chemisier ample qui ne faisait aucunement ressortir cette poitrine et qui avait justement été choisi pour cette caractéristique.

Ils avaient traversé la petite ville de Bougainville, puis franchi la rivière du même nom par le pont Jean-Jacques-Bertrand. Quelques kilomètres plus loin, Rosario avait pris, à gauche, le chemin de la plage. Au bout du chemin, il avait fait demi-tour juste devant la rampe de mise à l'eau des embarcations de plaisance, puis il avait fait marche arrière pour finalement s'arrêter à deux mètres de l'eau. Il était descendu, avait ouvert la porte latérale et rabattu la rampe de métal.

Tandis qu'Alice-Carole et le préposé enlevaient les vêtements sous lesquels ils portaient leur maillot de bain, Rosario s'apprêtait à pousser le fauteuil roulant du bénéficiaire le plus proche de la porte, lorsque se fit ce fatidique échange de mots qui devait être le point de départ d'un nouvel amour total quoique aucunement partagé.

Alice-Carole dit tout simplement :

— Commence par Robert.

Et Rosario dit tout aussi innocemment :

— Celui-là ?

Ce fut assez. Dans le même instant, Rosario découvrait qu'Alice-Carole, qui n'était arrivée que depuis vingt-quatre heures au centre d'accueil Lionel-Duval, avait assez de cœur et de tête pour déjà connaître le prénom des bénéficiaires dont elle était responsable ; et Alice-Carole constatait que, bien qu'il travaillât là depuis dix ans, Rosario ne s'était jamais donné la peine d'apprendre le nom des gens qu'il véhiculait.

Aucun des deux ne s'aperçut de la réaction de l'autre, pour la simple raison qu'aucun des deux ne laissa paraître ses sentiments. De plus, Rosario ne voyait rien d'étonnant à ignorer l'identité de ces garçons qui se ressemblaient tous et étaient incapables de répondre à l'appel de leur nom. Il les transportait en groupe et n'avait pas, comme les éducateurs, à leur accorder une attention individuelle.

Quant à Alice-Carole, elle était loin de se douter qu'on puisse devenir amoureux d'elle pour la simple raison qu'elle s'efforçait de traiter ces garçons comme des êtres humains.

Elle imagina que Rosario les appelait des « légumes ». En cela, elle se trompait, puisqu'il n'utilisait jamais ce mot autrement qu'en pensée. Pour leur parler, il les appelait plutôt « Chose », comme dans « Viens-t'en, Chose », « Tiens-toi bien, Chose » et d'autres propos semblables qui n'avaient d'autre utilité que de rompre le silence.

Rosario, soudain follement amoureux d'Alice-Carole, fit preuve d'une douceur inhabituelle en descendant sur la rampe le fauteuil dudit Robert.

Lorsque les roues touchèrent l'eau, Alice-Carole et le préposé débarrassèrent le garçon de son peignoir et le soulevèrent, chacun d'un côté. Ils s'avancèrent lentement dans le lac.

Alice-Carole se tourna alors vers Rosario.

— As-tu peur de te mouiller ? demanda-t-elle ironiquement.

Incapable d'envisager que la femme dont il venait de tomber amoureux soit capable de la moindre méchanceté, il prit cela pour une invitation à la baignade, sans deviner la colère que ressentait la jeune femme devant cet homme de quarante ans béatement satisfait de fumer sa cigarette appuyé sur le capot du minibus.

— J'ai pas de costume de bain, répondit-il.

— Tu as des sous-vêtements ?

Le temps de se souvenir qu'il portait ce jour-là un slip propre — son préféré, cela tombait bien —, Rosario entreprit de se dévêtir à son tour. Il entra dans l'eau, qu'il trouva un peu froide à son goût, et rejoignit les trois autres.

— Tiens-lui la tête, ordonna Alice-Carole.

En faisant de son mieux pour masquer sa répulsion, Rosario prit entre ses mains la tête de Robert. Jamais il n'aurait pu imaginer une tête aussi fragile. Le cou opposait si peu de résistance qu'on avait l'impression que, si on cessait de le soutenir, il casserait net et que la tête tomberait dans le lac.

— Doucement, dit encore Alice-Carole.

Ils descendirent tous trois le garçon dans l'eau. Jusqu'alors, on aurait pu le croire mort ou à tout le moins inconscient. Yeux fermés, bouche ouverte, son visage décharné n'avait réagi d'aucune manière tandis qu'on le transportait au-dessus de l'eau. Mais dès qu'il toucha l'eau froide, il eut une convulsion. Sa bouche s'ouvrit et se referma à plusieurs reprises et laissa échapper un marmonnement qui ressemblait à «maman», mais que Rosario prit pour un vagissement dépourvu de signification.

Apparemment fort satisfaite de ces signes de vie, Alice-Carole versa un peu d'eau sur le front du garçon et lui caressa les tempes. Puis elle le serra doucement contre elle. La tête de Robert s'appuya sur sa poitrine moulée dans un maillot turquoise et il cessa de s'agiter.

Rosario devint tout à coup horriblement jaloux de ce garçon dont il ne pouvait dire s'il avait douze ou vingt-cinq ans, qui était incapable de parler et probablement aussi d'entendre et de voir, mais qui avait soudain sur lui un avantage incalculable : celui d'avoir la tête posée contre le sein d'Alice-Carole.

— Bouge tes jambes, ordonna-t-elle doucement.

Robert ne bougea rien du tout.

— Les jambes, répéta-t-elle.

Remua-t-il les jambes ? En tout cas, pas assez pour que Rosario les voie se mouvoir.

— C'est très bien, dit Alice-Carole comme s'il les avait réellement bougées.

Rosario ne vit pas ce qui était très bien, mais hocha la tête en signe d'approbation.

Une fois qu'ils eurent donné à chacun des quatre garçons un bain qui, d'après Rosario, n'eut pour effet que de leur occasionner des spasmes inquiétants et peut-être même douloureux, ils se rhabillèrent.

— Ça t'a pas trop épuisé ? demanda méchamment Alice-Carole à Rosario, qui crut qu'elle voulait simplement dire n'importe quoi.

— Tant que le syndicat l'apprendra pas, répliqua-t-il pour dire n'importe quoi lui aussi.

Il se félicita d'avoir trouvé spontanément cette façon habile de laisser entendre : « Mon syndicat m'interdit de toucher aux bénéficiaires. Mais je l'ai quand même fait pour tes beaux yeux. »

Ils n'échangèrent pas un mot sur le chemin du retour. À la porte du centre d'accueil, Rosario fit descendre les bénéficiaires dans leurs fauteuils roulants, sans qu'Alice-Carole exprime de préférence pour l'ordre dans lequel il procédait.

Et il n'eut plus aucun contact avec Alice-Carole jusqu'au mardi suivant, lorsque revint l'heure des exercices aquatiques.

Elle portait toujours le même maillot de bain turquoise – un modèle seyant, d'une pièce, qui soulignait la souplesse de son corps et sa grâce un peu gauche.

Rosario s'était acheté un maillot de la même couleur. Dans son cas, cela faisait ressortir son ventre de buveur de bière. Mais il était convaincu qu'Alice-Carole n'y prêterait pas attention. Si elle pouvait traiter des débiles avec tendresse, elle était sûrement capable de faire abstraction des poignées d'amour qui lui ornaient la taille.

Ni cette fois-là ni celles qui suivirent, elle n'eut à lui demander de l'aider. Sitôt le premier bénéficiaire descendu du minibus, Rosario enlevait chaussures, chemise et pantalon, avançait dans l'eau et s'efforçait de deviner ce que l'éducatrice attendait de lui. Mais à part ces échanges professionnels, il n'avait jamais l'occasion de lui parler seul à seule.

À la cafétéria, il tenta à quelques reprises de s'asseoir avec elle. Mais elle était presque toujours entourée de préposés et d'autres éducateurs. Chaque fois que Rosario s'approchait de sa table, un malin caprice du hasard faisait qu'Alice-Carole achevait son repas et se levait avant même qu'il ait ouvert la bouche.

Une fois seulement, il s'était trouvé seul avec elle à la fin du repas du midi, les autres étant tous partis alors qu'Alice-Carole n'avait pas encore commencé à boire sa tisane.

Il hésita quelques instants. Puis, la voyant prendre une grande gorgée de sa boisson, il lui dit précipitamment :

– J'aimerais ça, t'inviter à souper.

– Quand ?

– Ce soir.

– J'attends un appel important. Je peux pas sortir.

Il se tut un moment, espérant qu'elle l'inviterait à souper chez elle. Ou qu'elle proposerait autre chose, ou un autre jour. Mais elle vida sa tasse et partit avec son plateau à l'instant même où il s'apprêtait à lui demander : « Pourquoi pas demain, d'abord ? »

Dans les jours qui suivirent, il n'eut aucune occasion de répéter son invitation. Il eut même l'impression qu'elle le fuyait.

Un soir, en regardant à la télévision un film d'un mauvais imitateur de James Bond, il entrevit la solution à son problème. L'horrible espion avait attaché la jolie héroïne au rotor d'un hélicoptère télécommandé qu'il s'apprêtait à lancer contre un bateau de la garde côtière poursuivant son yacht. Juste au moment où les pales commençaient à tourner, Chuck Flagger jaillissait de la mer et sautait sur le pont. Sans prendre le temps d'enlever son équipement de plongée, il jetait par-dessus bord l'énorme garde du corps de l'espion, avant de bondir sur l'hélicoptère pour délivrer d'un coup de couteau la belle captive. Comme le rotor prenait de la vitesse, il enserra la taille de la belle et plongea avec elle dans la mer, où il lui garda enfoncé dans la bouche l'embout de sa bonbonne tant que les garde-côtes n'eurent pas neutralisé le vilain et ses sbires.

Le scénario était cousu de fil blanc, mais la leçon était claire : Rosario n'avait qu'à devenir un héros, et Alice-Carole lui tomberait dans les bras.

Il passa toute la nuit à chercher un moyen d'en devenir un. Mais il fut forcé, au petit jour, de conclure qu'à moins d'un grand hasard qui ferait qu'au bon moment il pourrait la sauver d'un espion, d'un terroriste ou d'un tremblement de terre, il ne serait jamais un héros aux yeux d'Alice-Carole.

Une seconde nuit d'insomnie lui inspira enfin un plan aisément réalisable.

Quelques mois plus tôt, il lui était arrivé de laisser le minibus garé dans une faible pente devant le centre d'accueil. Le câble du frein manuel était usé et s'était rompu. Le véhicule s'était mis à reculer tout seul dix minutes plus tard, tandis que Rosario lisait son journal assis dans les marches de l'escalier principal. Heureusement, le véhicule s'était arrêté sur les blocs de béton qui bordaient la chaussée. Rosario avait fait remplacer le câble du frein, et le centre d'accueil Lionel-Duval n'avait rien dû payer de plus à la suite de cet incident.

Mais rien n'empêchait de penser que cette situation pouvait se reproduire, surtout si ce câble était trafiqué à l'aide de coups de lime judicieusement placés.

Ainsi, au moment de la prochaine baignade au lac aux Quenouilles, Rosario laisserait le minibus au point mort et donnerait un bon coup sec sur le levier du frein. Après quelques instants ou plusieurs minutes, le minibus se mettrait à reculer dans le lac, emportant avec lui trois bénéficiaires.

Rosario connaissait bien ce lac pour y avoir nagé pendant son enfance. Après une descente assez rapide, le fond devenait plat à un peu moins de deux mètres.

Le minibus s'immobiliserait donc dès qu'il serait à peu près entièrement submergé. Comme Alice-Carole et le préposé seraient incapables de lâcher le bénéficiaire qu'ils seraient en train de tenir dans leurs bras, Rosario se précipiterait vers le minibus et en retirerait les autres avant qu'ils aient le temps de se noyer.

Ce projet avait plusieurs avantages. D'abord, celui de ne pas sauver Alice-Carole elle-même. Rosario soupçonnait que certaines personnes pouvaient ne pas être reconnaissantes qu'on leur sauve la vie. Si Alice-Carole devait un jour lui sauver la vie, il en ressentirait une gêne certaine. Par contre, elle ne pourrait que lui savoir gré de sauver ses bénéficiaires chéris.

De plus, elle serait probablement réprimandée pour avoir demandé au chauffeur de tenir la tête des bénéficiaires dans l'eau, alors que sa tâche consistait à surveiller son véhicule. Elle se sentirait d'autant plus reconnaissante qu'il lui éviterait une catastrophe dont elle serait tenue responsable.

Enfin, ce plan était parfaitement contrôlable. Avec un coup de lime au câble du frein, Rosario n'avait plus qu'à tirer sur le levier et tôt ou tard le minibus partirait en marche arrière pour s'arrêter non loin de la rive. En gardant l'œil sur le minibus, il pourrait se lancer sans retard à sa poursuite.

Bref, constata Rosario en se levant après cette seconde nuit d'insomnie, il était assuré de devenir un héros sans courir le moindre risque.

Le lundi suivant, il passa au garage et lima soigneusement le câble du frein à main ; dès lors celui-ci ne tenait plus qu'à un mince fil qu'il badigeonna de graisse sale pour dissimuler la coupure fraîche.

Le lendemain, à deux heures, il était là, fidèle au poste.

Alice-Carole y était aussi, avec Luc Cailler et les quatre bénéficiaires habituels. Tout le monde fut rapidement installé et ils se mirent en route.

À la sortie de Bougainville, Alice-Carole demanda à Rosario d'arrêter à la caisse populaire.

– Il me reste pas un sou. Je sais qu'on est pas supposé, mais ça me rendrait vraiment service.

– Pas d'objection.

Ravi de plaire à Alice-Carole, Rosario stoppa en face de la caisse populaire, juste au sommet de la côte précédant le pont Jean-Jacques-Bertrand.

Il laissa le moteur tourner, mit au point mort et bâilla profondément tandis qu'Alice-Carole sortait et marchait d'un pas vif vers la caisse populaire Saint-Antoine-de-Bougainville. Il prit bien soin de ne pas toucher au levier du frein, pour éviter que le câble ne se brise avant le moment choisi.

Quelques instants plus tard, une voiture attira son attention. C'était une Camaro plus très jeune, mais au moteur extrêmement bruyant, occupée par quatre jeunes gens. Elle s'arrêta derrière le minibus et Rosario observa la suite dans son rétroviseur.

Il sursauta. Le jeune homme assis sur le siège du passager à l'avant glissait quelque chose par-dessus sa tête – un bas de nylon. Deux autres, sur la banquette arrière, enfilaient un passe-montagne. Les trois jeunes gens masqués sortirent de la voiture et se dirigèrent vers la caisse populaire.

Le cœur de Rosario se mit à battre à tout rompre. Le hasard lui tendait sur un plateau d'argent une occasion inespérée de devenir un héros. Sans simulacre, sans rien arranger, il pouvait sauver Alice-Carole de bandits dangereux. Et il pouvait, par-dessus le marché, espérer recevoir une récompense de la caisse populaire.

N'écoutant que son courage, car, comme tant d'hommes capables des pires lâchetés, il n'en était pas dépourvu, il sortit du minibus en criant à Luc Cailler :

— Bouge pas de là !

À l'entrée de la caisse populaire, un homme masqué lui enfonça un revolver dans le ventre.

— Grouille pas, ça sera pas long, lui murmura l'homme dans le creux de l'oreille.

Ce fut encore plus court qu'il ne pensait, car Rosario lui donna un solide coup de genou dans les testicules, s'empara de son revolver et lui assena un coup de poing sur le nez juste au moment où l'autre se penchait pour se frotter.

« Et d'un », compta Rosario, réconforté de se savoir aussi fort que Chuck Flagger et, tant qu'à faire, que James Bond lui-même.

Il entra et constata que le personnel était la proie de l'affolement le plus total.

Alice-Carole était la seule cliente. Un des bandits était à côté d'elle et brandissait un revolver en direction des caissières qui hurlaient à pleins poumons. L'autre bandit s'apprêtait à sauter par-dessus le comptoir.

Deux caissières affolées s'évanouirent. Alice-Carole, appuyée au comptoir, semblait plutôt impassible, comme s'il était normal, chaque fois qu'elle venait là, d'assister à un braquage.

— Jetez vos armes, c'est fini ! cria Rosario de sa voix la plus forte.

Le bandit le plus près d'Alice-Carole crut que c'était la police et jeta aussitôt son arme par terre. L'autre, pas si bête, y regarda à deux fois. Ce type ventru, en chemise verte à fleurs roses, n'avait pas du tout l'air d'un policier.

— Bouge pas ou je la tue, menaça-t-il.

Et il pointa son revolver sur la tempe d'Alice-Carole, dont le regard prit enfin une allure modérément terrorisée.

Rosario eut un sourire satisfait. C'était exactement la scène dont il avait d'abord rêvé : Alice-Carole était menacée par un bandit, et il était en position de lui sauver la vie.

Le seul problème, c'est qu'il ne savait pas du tout comment faire.

D'autant plus que le bandit près d'Alice-Carole pouvait reprendre l'arme qu'il avait bien rapidement laissée tomber par terre. Mais Rosario se dit que si le bandit ne se donnait pas la peine de ramasser son arme, cela prouvait qu'il s'agissait d'un revolver-jouet ou d'une arme non chargée. Et il était alors fort probable que celle de l'autre bandit soit aussi inoffensive, comme d'ailleurs celle qu'il tenait lui-même dans sa main droite.

— On est deux, t'es tout seul, reprit le bandit.

— Pas pour longtemps. T'entends pas les sirènes ? répliqua Rosario.

Pendant quelques secondes, tout le monde — même le directeur de la caisse populaire, étendu par terre dans son bureau — tendit l'oreille.

– J'entends pas de sirène, dit le bandit.

– Si tu me tires dessus, tu vas être vraiment mal pris, dit Rosario, sincèrement déçu du silence des sirènes.

– Si tu me tires dessus, t'es mort, répliqua son adversaire.

La situation devenait embarrassante. Rosario eut envie d'appuyer sur la détente de son arme pour voir si elle était bien vide. Malheureusement, il n'était pas absolument exclu que la sienne le soit, mais pas celle du bandit, et alors le résultat serait désastreux.

Rosario regarda derrière lui, histoire de s'assurer que le premier bandit ne s'était pas réveillé et ne lui préparait pas une mauvaise surprise.

Mais celui-là avait pris ses jambes à son cou et s'était jeté dans la Camaro qui avait démarré en trombe. Luc Cailler avait compris la situation, s'était précipité sur le téléphone public le plus proche, avait demandé de l'aide. Justement, un agent de la Sûreté du Québec était en train de prendre deux beignets et une tasse de café au Beign-O-Rama de Bougainville. La téléphoniste, qui fréquentait elle-même un policier, avait deviné que l'agent était là. Et le policier avait rappliqué en courant.

Il se présenta à la porte de la caisse populaire en brandissant son revolver, sans trop savoir qui étaient les bandits là-dedans.

Rosario, se sachant innocent, se sentit particulièrement visé. Le bandit armé réagit le premier.

— Correct, d'abord, dit-il sans vergogne en déposant son revolver par terre.

Son comparse leva les bras parce qu'il n'avait pas d'arme à jeter par terre. Rosario tendit son revolver à l'agent en lui disant :

— Je suis pas avec eux autres, tout le monde vous le dira.

Alice-Carole s'avança.

— C'est vrai. Il nous a sauvés.

— Un vrai héros, dit une des caissières.

— Ah oui, acquiesça le chœur des caissières au grand complet, les deux évanouies ayant rapidement repris connaissance une fois le danger passé.

Rosario rougit de plaisir et jeta un coup d'œil en coin du côté d'Alice-Carole pour voir si elle semblait l'admirer. Indiscutablement, elle le semblait.

— C'est moi qui ai téléphoné à la police, dit Luc Cailler, debout derrière l'agent.

— T'as bien fait, fit Rosario sur le ton d'un général satisfait du travail d'un de ses subordonnés.

Un instant après, il se donna un coup de poing dans le front.

— Le minibus ! s'exclama-t-il.

Le minibus avait été abandonné, avec un câble de frein sectionné si le préposé avait eu la présence d'esprit de le serrer, ou sans frein du tout dans le cas contraire. Et pas près du lac aux Quenouilles, qui n'avait que deux mètres de profondeur, mais au sommet d'une côte qui descendait vers la rivière Bougainville, aux eaux si noires et aux remous si traîtres qu'aucun pêcheur ne s'y risquait en barque sans un moteur puissant.

En deux enjambées, Rosario fut dehors.

Le minibus n'était plus là.

Rosario se mit à courir à toutes jambes vers le pont Jean-Jacques-Bertrand. Pas de minibus en vue.

Il commençait à se rassurer en se disant que rien ne forçait le véhicule à tomber dans la rivière, et qu'il avait peut-être plutôt fait marche arrière. Il regrettait de ne pas avoir regardé d'abord dans l'autre direction, lorsqu'il aperçut des traces de pneus dans l'herbe sur le bas côté du chemin. Et des bulles d'air qui venaient éclater à la surface, au milieu de la rivière, à droite du pont. Il accéléra encore le pas, tomba, se releva, faillit tomber une autre fois.

Arrivé au bord de l'eau, il ne prit pas le temps d'enlever ses chaussures et plongea la tête la première.

L'eau était glacée et sombre. Cela n'empêcha pas Rosario de trouver rapidement le minibus. Il tenta une première fois d'ouvrir la porte arrière, mais sans succès.

Il remonta prendre de l'air, vit que des gens – dont Alice-Carole – accouraient, et replongea. Cette fois il remarqua que le minibus, enfoncé le nez devant dans la vase de la rivière, n'était qu'à

moitié rempli d'eau. Il alla à la porte du conducteur, qui s'ouvrit sans difficulté. À l'intérieur,
les quatre bénéficiaires avaient encore la tête
hors de l'eau, dont le niveau montait rapidement.

Rosario entreprit de les détacher. Il en libéra
trois, les poussa hors du minibus.

— Envoye, Chose, fais ça vite, songea-t-il en
poussant le troisième vers le haut.

Il n'en restait qu'un. Mais Rosario n'avait
plus une seconde à perdre, parce qu'il ne restait
plus d'air dans le minibus. En défaisant la cein-
ture du dernier bénéficiaire, il le reconnut. C'était
Robert — son rival. Il fut tenté de le laisser là. Il
ouvrit pourtant la porte arrière du véhicule,
poussa le garçon dehors, se donna à lui aussi une
poussée vers le haut.

Mais il ne monta pas.

Quelque chose retenait son pied gauche. Un
instant, il crut que c'était quelqu'un. Mais il n'y
avait plus personne. À bout de souffle, il tâta son
pied. Un lacet s'était coincé dans un des fauteuils
roulants. Il donna un grand coup de pied, mais le
lacet ne céda pas. Il ne restait qu'une solution :
enlever sa chaussure sans perdre une seconde.

Il fit vite. Mais pas assez.

❏

Pendant trois jours, on parla tous les soirs,
aux informations télévisées, de l'état de santé de
Rosario. D'abord, on le décrivit comme étant

entre la vie et la mort, puis dans un état critique et enfin dans un coma de mauvais augure. *Le Journal de Montréal* ne se désintéressa du sort de celui qu'il avait surnommé « le double héros de Bougainville » qu'une fois que les éminents spécialistes qui se relayaient à son chevet depuis six jours eurent rendu leur verdict : Rosario Gosselin avait été privé d'air pendant si longtemps qu'il ne pourrait jamais plus marcher, ni bouger les bras, ni bouger autre chose. C'est tout juste si on pouvait espérer rétablir un jour chez lui des fonctions cérébrales légèrement supérieures aux fonctions végétatives minimales.

Même si le centre d'accueil Lionel-Duval était réservé aux adolescents et aux jeunes adultes, la direction fit valoir auprès du ministère des Affaires sociales les états de service et l'héroïsme de son ex-chauffeur et obtint qu'il soit logé là.

L'été suivant, Alice-Carole Paradis, Luc Cailler et le nouveau chauffeur amenèrent Rosario au lac aux Quenouilles pour les tout premiers exercices aquatiques de la saison.

Il n'eut aucune réaction lorsqu'on le plongea dans l'eau. Mais après un instant il crut sentir sur sa tempe un sein chaud, doux et moelleux. Il eut envie de dire à quel point cela lui faisait plaisir.

Il émit un râle que Luc Cailler prit pour un cri de douleur, le contact de l'eau ayant pu lui rappeler sa quasi-noyade.

Alice-Carole était sûre que c'était autre chose. Mais elle n'en dit rien à personne, ni cette fois-là, ni les autres.

Première publication :
Longues histoires courtes,
Libre Expression, 1992.

Pas beau à voir

Ma mère considère la souffleuse à neige comme la pire invention de l'homme, qui en a pourtant conçu des bien plus néfastes.

Mais on peut la comprendre.

Un jour, alors qu'elle était enceinte (de moi, son enfant unique), elle marchait sur le trottoir près de chez elle et une souffleuse a avalé un homme sous ses yeux, dans la rue. Elle a toujours refusé de me raconter cette histoire. Le seul commentaire que j'ai pu tirer d'elle, c'est que ce n'était « pas beau à voir ». Heureusement, j'ai pu en savoir plus long en consultant les archives d'un journal.

J'ai ainsi appris qu'en février 1974 le conducteur d'une souffleuse s'est laissé distraire par une jolie femme qui passait sur le trottoir. Le journal ne mentionnait pas le nom de la dame, mais ce ne pouvait être que ma mère. Encore aujourd'hui, elle est tout à fait capable d'être élégante dans un épais manteau d'hiver.

Cela n'aurait pas eu de conséquences fâcheuses, si l'homme qui marchait à reculons devant la souffleuse pour guider la manœuvre n'avait pas été lui aussi déconcentré par la belle passante.

Il avait été promptement avalé par la vis sans fin de l'appareil et expédié en menus morceaux dans un camion.

Pendant toute mon enfance et une bonne part de mon adolescence, maman m'a interdit de sortir de la maison les jours de déneigement – que ce soit pour jouer dans la neige ou pour aller à l'école.

Peut-être cela explique-t-il que je me sois procuré, dès le début de cet hiver (le premier que je passe avec ma femme et mon fils dans notre toute nouvelle maison), le jouet ultime du banlieusard, surtout de celui qui en a été si longtemps privé : une souffleuse à neige.

À part le fait qu'elle souffle la neige, mon acquisition n'a rien à voir avec les engins qui effrayaient tant maman.

Il s'agit d'un modèle puissant mais compact, avec lequel je compte déneiger en une petite heure l'entrée du garage et le trottoir qui mène de la rue à la maison. Mais il n'est pas question que j'en parle à ma mère ni à plus forte raison qu'elle le voie.

L'engin est sans danger, incapable de réduire un homme en bouillie. Un chien, peut-être, à condition qu'il soit petit, comme le détestable roquet de mon voisin, qui aboie tout le temps et chie partout, et qu'il ne me déplairait pas de voir disparaître dans les lames de ma souffleuse.

Tout à l'heure, en me voyant sortir ma nouvelle acquisition pour m'attaquer à la première chute de neige, ce voisin est justement venu me dire que j'aurais mieux fait de recourir, comme lui, à un service de déneigement, bien moins cher qu'une souffleuse quand on calcule la dépréciation, l'essence et les réparations. Sans mentionner la mésaventure de ma mère, j'ai tenté de lui expliquer le plaisir que j'ai à manœuvrer cet appareil tonitruant en faisant virevolter autour de moi un nuage de neige folle. Il n'a rien compris. Il n'a pas été, lui, interdit de souffleuse pendant toutes ces années.

Cette conversation futile m'a retardé. Il faut que je me dépêche parce que Ginette (c'est ma femme) est partie chercher ma mère en voiture avec mon fils. Et ça va faire un drame si maman nous voit, ma souffleuse et moi.

Misère !

Voilà la Volvo. Heureusement, Ginette m'a vu. Elle gare la voiture devant la maison et se hâte de faire descendre le petit. Elle saisit le bras de maman et l'entraîne en lui parlant pour éviter que celle-ci fasse attention à moi. Et je continue mon déneigement comme si personne ne pouvait deviner que c'est le fils de ma mère qui est là, au milieu de cette nuée blanche.

De toute façon, j'ai presque terminé. J'en suis au dernier retour en direction du garage. Si maman m'aperçoit et me fait des reproches, je vais lui dire que c'est une souffleuse empruntée, dont je fais simplement l'essai avant de la rendre à son propriétaire, mon voisin.

Mais vous connaissez mal ma mère : pas question qu'elle attende pour m'invectiver. Au milieu des marches qui mènent à la maison, elle se tourne vers moi et se met à me brailler après comme si j'avais commis le pire des crimes contre l'humanité.

Je rentre la tête dans les épaules et je me réfugie dans ma bulle de neige.

Le comble, c'est que Ginette se joint à elle maintenant. Elle hurle après moi par solidarité féminine, je suppose, puisqu'elle était parfaitement d'accord pour l'achat de la souffleuse. Même que la perspective de faire un pied de nez à sa belle-mère l'amusait au plus haut point.

Elles se mettent à courir vers moi en criant toujours. Pourtant, elles devraient savoir que je les entends mal à cause du bruit. Qu'est-ce qu'elles veulent ? M'arracher ma souffleuse ?

Elles peuvent gueuler toutes les deux tant qu'elles voudront, elles ne me feront pas renoncer à ce plaisir parfaitement innocent et d'une saine virilité. Rien n'est plus indispensable à la santé mentale masculine que d'accomplir une tâche domestique hors des murs de son domicile à l'aide d'un engin bruyant.

Et ne voilà-t-il pas que le petit se met de la partie, lui aussi. Il crie encore plus fort que sa mère et sa grand-mère réunies. Non, il ne crie pas plus fort. Il est seulement venu tout près de

moi, pour bien s'assurer que je l'entendrai s'égo-
siller comme un cochon qu'on va égorger.

Qu'est-ce qui leur prend, à tous?

Soudain, le nuage autour de moi passe du
blanc pur au rose, puis au rouge.

Et je dois reconnaître que ma mère avait raison sur un point: ce n'est pas beau à voir.

Première publication:
collectif *Hivers*, Les 400 coups, 2003.

Le lièvre et le requin

À moins d'être un fieffé menteur, personne ne peut prétendre détenir le record mondial du marathon, car on n'en a jamais homologué. Et ce, pour une raison fort simple. Même s'il est facile de mesurer avec précision les quarante-deux mille cent quatre-vingt-quinze mètres qui composent chacun des nombreux marathons courus dans le monde tous les ans, chaque compétition est différente de toutes les autres. Le circuit est plat comme une crêpe ou vallonné comme une gaufre. Il fait ce jour-là une chaleur écrasante ou un froid stimulant. Le vent souffle dans le nez des concurrents ou dans leur dos – pendant quelques minutes seulement ou depuis la ligne du départ jusqu'au fil d'arrivée.

Il n'empêche que, si jamais quelqu'un avait le droit de se vanter d'être le marathonien le plus rapide du monde et même de l'histoire de l'humanité, ce serait incontestablement Ghislain Gagnon, le premier homme – et toujours le seul – à avoir couru en moins de deux heures lesdits quarante-deux kilomètres et des poussières. D'autant plus qu'il avait le mérite de s'être mis à courir à vingt-sept ans, début plutôt tardif pour un coureur de fond.

Il l'avait fait non par goût du sport, de la performance ou de la gloire, mais tout simplement parce qu'on venait de lui voler son triporteur. Plus précisément le triporteur appartenant à l'épicerie Tranchemontagne et qu'il utilisait pour livrer des caisses de bière, des cartouches de cigarettes et aussi quelques aliments dans le quartier Centre-Sud de Montréal.

Joseph Tranchemontagne, propriétaire de l'épicerie comme du triporteur, proposa alors à son livreur de lui en acheter un nouveau en retenant dix dollars par semaine sur son salaire, pour le punir d'avoir négligé de surveiller son outil de travail.

Ghislain Gagnon refusa tout net. Pour commencer, il est difficile de garder un œil sur un triporteur quand on doit livrer deux caisses de vingt-quatre bouteilles pleines de bière à un appartement situé au quatrième étage. Ensuite, dix dollars par semaine, c'était tout ce qu'il lui restait, une fois sa chambre et sa pension payées chez Taillefer Chambres et Pension. De plus, Ghislain Gagnon tenait à mettre un peu d'argent de côté pour ses vieux jours, parce qu'il ne pourrait pas faire des livraisons jusqu'à un âge très avancé. La preuve : il n'avait jamais vu un livreur de plus de trente ans.

Surtout, avait-il songé non sans un frisson de terreur, que se passerait-il s'il se faisait subtiliser le nouveau triporteur et si Joseph Tranchemontagne lui réclamait non plus dix mais vingt dollars par semaine pour en acheter un troisième ?

De toute façon, une autre possibilité de carrière venait à ce moment-là de s'offrir à lui. Anita Beauregard, dont la pharmacie était située à trois portes de l'épicerie Tranchemontagne, lui avait proposé peu de temps auparavant de faire ses livraisons à elle aussi. Il avait d'abord refusé, parce qu'il savait que son patron n'accepterait jamais qu'il livre les commandes d'un concurrent avec un triporteur lui appartenant. Car Anita Beauregard vendait comme lui des mouchoirs de papier et des cigarettes.

Par contre, elle ne vendait ni bière, ni dindes, ni rien de plus volumineux ou de plus lourd qu'une boîte de serviettes hygiéniques. Pas besoin d'un triporteur pour livrer ça. On peut le faire à pied − en courant.

Ghislain Gagnon donna donc sa démission à l'épicerie Tranchemontagne qui, depuis ce jour, utilise une camionnette pour ses livraisons. Et Anita Beauregard fut ravie de l'avoir à son service, car il devint rapidement le livreur le plus rapide du quartier. À pied, on ne s'époumone pas dans les côtes comme les cyclistes, et on ne laisse pas fondre la crème glacée pendant qu'on cherche où garer sa camionnette comme le livreur de l'épicerie Tranchemontagne qui doit acquitter lui-même ses contraventions. L'hiver, c'est encore mieux : le coureur ralentit à peine dans la neige. Et une chute n'est jamais un accident ; on se relève et on repart.

Après un an de cet entraînement, Ghislain Gagnon courait comme une gazelle, sans le savoir parce qu'il n'avait jamais l'occasion de se comparer à d'autres. Un jour qu'il revenait d'une livraison dans la rue Rachel, à la limite du territoire de livraison de la pharmacie Beauregard, il suivit pendant quelques minutes sur tout un côté du parc La Fontaine une coureuse rapide qu'il finit par dépasser. Il jeta un coup d'œil de côté et reconnut le regard noir et triste de Jacqueline Gareau, qui avait triomphé au marathon de Boston quelques années plus tôt.

Conscient tout à coup de ses capacités exceptionnelles pour la course à pied sportive et non simplement utilitaire, Ghislain Gagnon s'acheta une bonne paire de chaussures de course – à plus de quarante dollars. Il se procura aussi une montre à chronomètre, trois fois moins chère que les chaussures. Et encore un livre d'itinéraires de course à pied, trouvé en solde dans l'étalage extérieur d'une librairie d'occasion.

Le dimanche suivant (en ce temps-là, la pharmacie Beauregard n'ouvrait que six jours par semaine), il choisit dans son livre un circuit qui faisait la longueur précise du marathon. Il le courut sans trop de peine en deux heures et vingt-deux minutes, ce qui n'était pas mal du tout pour une première tentative.

Un mois plus tard, il fracassait la barrière des deux heures, que tous les experts prétendaient — et prétendent encore — infranchissable.

Il résolut alors de s'inscrire au prochain marathon international de Montréal, dont le vainqueur recevrait une bourse de dix mille dollars. Une somme considérable, vous le reconnaîtrez, pour quiconque n'en gagne pas cent cinquante par semaine.

N'ayant personne à qui s'ouvrir de son projet, il n'en parla jamais. Sauf une fois. À Raymond Lacombe.

Celui-ci était un coureur d'élite, sans être tout à fait de calibre international. Après une séance d'entraînement par une journée grise de janvier, il s'était senti grippé et avait téléphoné à la pharmacie pour demander qu'on lui envoie le meilleur médicament livrable sans ordonnance.

Peu après — et même étonnamment peu de temps après —, on avait sonné à la porte de son appartement. Il avait ouvert à un jeune homme d'allure timide, vêtu d'un blouson et d'un pantalon molletonné, qui lui tendait un sac sur lequel était brochée une facture.

— C'est combien ? s'enquit Raymond Lacombe.

— C'est écrit.

Raymond Lacombe jeta un coup d'œil à la facture, posa le sac sur le comptoir de sa cuisinette et mit la main à son portefeuille.

— Vous êtes-tu le Lacombe qui court? demanda alors le livreur.

— Oui, oui, je suis lui, répondit en souriant l'athlète, ravi de son début de notoriété.

— Je vous ai vu dans le journal, au parc La Fontaine.

En septembre, la photo de Raymond Lacombe avait en effet paru dans plusieurs journaux, après sa victoire aux vingt kilomètres du parc La Fontaine.

Attendri par l'admiration du livreur et réconforté par le naïf espoir de voir bientôt, grâce à lui, disparaître les symptômes de sa grippe, le champion local déclara, en tirant de son portefeuille un billet de dix dollars:

— Tu peux garder le reste.

Ghislain Gagnon, qui s'était avancé d'un pas, ne remercia pas. Il ne fit pas non plus le pas en arrière qui aurait permis à Raymond Lacombe de refermer la porte. Il lança plutôt:

— Moi, je fais le marathon en moins de deux heures.

— Tiens, tiens.

— Une heure cinquante-huit minutes et vingt-sept secondes, dimanche passé.

— Tu devrais t'inscrire au marathon, suggéra Raymond Lacombe en songeant que ce genre de compétition permettait justement de séparer les vantards des véritables athlètes.

— Je vas le faire cette année! protesta Ghislain Gagnon comme si on l'avait accusé de ne pas oser se mesurer aux plus grands.

— D'abord, tu devrais aller t'entraîner en Floride. Ici, on fait juste attraper la grippe.

— La Floride ? C'est bien que trop cher.

— Pas nécessairement.

Raymond Lacombe commençait à trouver la conversation amusante. Rien n'est plus divertissant que de se mesurer à un simple d'esprit, car c'est un moyen facile de se convaincre qu'on n'est pas si bête soi-même.

— Je vais te montrer.

Il alla chercher l'atlas dans sa bibliothèque, l'ouvrit à la page du sud-est des États-Unis, le déploya sur la table et fit signe au jeune homme de s'approcher.

— Regarde. Ça, c'est Miami. En avion, c'est même pas trois cents dollars. À ta place, une fois rendu, je louerais une auto, puis j'irais courir dans les Keys. Tu vois, c'est les petites îles, là. Elles sont toutes reliées par des ponts. Y en a même une qui s'appelle Marathon.

— Je sais pas conduire, se désola Ghislain Gagnon, soudain fasciné par la perspective d'aller s'entraîner pour le marathon à Marathon.

— Ouais. Mais en courant vite comme toi, de Miami aux Keys, tu ferais ça dans le temps de le dire.

Ghislain Gagnon contempla la Floride dont il avait souvent entendu parler, mais sans faire attention parce qu'il avait toujours été convaincu qu'il ne s'y rendrait jamais. Et ne voilà-t-il pas qu'un coureur — un vrai, vu dans les pages de

sport — lui recommandait d'aller s'y entraîner !
D'autant plus qu'il avait justement, dans son
compte à la caisse populaire, cinq cent soixante
dollars d'économies qui n'attendaient que ça et
qu'il aurait toujours le temps de remplacer avant
l'âge de la retraite. De toute façon, avec les dix
mille dollars du marathon de Montréal, ses vieux
jours seraient autrement mieux assurés.

Il annonça donc à Anita Beauregard qu'il
prenait deux semaines de vacances. Elle lui demanda ce qu'elle allait faire pour ses livraisons. Il
répondit, sans songer que cela risquait de lui coû-
ter son emploi, que beaucoup de petits commerces
faisaient maintenant livrer leurs commandes par
des chauffeurs de taxi.

❑

De Miami, il mit trois jours pour rallier Marathon, sans se hâter mais en parcourant de longues
étapes. Il dormait sous des ponts et avait pour
seul bagage, dans le petit sac à dos qu'il utilisait
normalement pour ses livraisons, une bouteille
d'eau, quelques vêtements de rechange et de
quoi faire son prochain repas.

Le quatrième jour, il s'élança rapidement, franchit un pont long de seize kilomètres et continua
pendant quelques heures encore.

Vers midi, la chaleur le convainquit de prendre
une demi-journée de congé. Il s'installa près de
ce qu'il croyait être une rivière mais qui était en

fait un bras de mer reliant le golfe du Mexique à l'océan Atlantique. Il fit un petit feu de bois pour cuire ses nouilles. Un policier, alerté par la fumée, arriva en voiture et lui expliqua que le camping sauvage était interdit partout en Floride. Ghislain Gagnon s'efforça, dans son anglais minimal, d'expliquer qu'il était coureur de fond et arrivait de Montréal. Le policier, convaincu qu'il avait couru tout ça, poussa un sifflement admiratif. Mais le règlement était le règlement. Il conduisit le coureur au camping le plus proche, fort coûteux et comme par hasard propriété d'un de ses amis.

Ce soir-là, Ghislain Gagnon se coucha sous une table de pique-nique au cas où il pleuvrait, mais il ne tomba pas une goutte de plus que durant les trois nuits précédentes.

Au matin, il fut invité à déjeuner par ses voisins de camping, Tom et Rita, couple de jeunes agents immobiliers du Connecticut, qui l'avaient pris en pitié et imaginèrent eux aussi qu'il avait couru depuis Montréal. Ghislain Gagnon devina cette fois ce que ses interlocuteurs comprenaient. Il ne se donna pas la peine de les détromper, parce qu'il ne savait pas trop comment le dire. Et aussi parce que cela lui plaisait qu'on le prenne pour un maniaque de la course à pied, alors qu'il ne se considérait pas comme tel. N'était-il pas plutôt un coureur-livreur professionnel, fort probablement inadmissible aux Jeux olympiques, encore réservés aux amateurs alors ?

Rita lui demanda, en poussant dans son assiette les dernières tranches de bacon, ce qu'il comptait faire, une fois rendu à Key West : courir sur l'eau jusqu'à Cuba ?

Sans saisir l'ironie de la question, Ghislain Gagnon expliqua tant bien que mal qu'il était plutôt venu en Floride dans le but de s'entraîner en vue du marathon de Montréal. Justement, il devait se hâter ce matin-là avant que le soleil ne soit trop haut. Il se contenterait de courir la distance d'un marathon, mais le plus rapidement possible. Dans deux heures, peut-être un peu moins, il reviendrait au camping pour le reste de la journée, décision d'autant plus facile à prendre qu'il s'y était fait des amis.

Ceux-ci lui montrèrent une carte des îles, qu'il étudia longuement. Il promena son doigt sur l'itinéraire qui lui sembla le plus intéressant : prendre la route Un jusqu'au premier chemin à gauche, rejoindre la côte et, de là, revenir au camping par un autre chemin qui longeait l'Atlantique. Le seul problème : quelle pouvait bien être la longueur de ce circuit triangulaire ?

Tom devina sa perplexité.

– *Look!*

Il sortit de la boîte à gants de sa voiture un petit instrument muni d'un cadran et d'une roulette, qu'il promena lentement sur le triangle.

Coïncidence miraculeuse : l'aiguille du cadran indiquait un peu plus de quarante kilomètres.

— Je reviens dans deux heures, promit Ghislain Gagnon en endossant son sac qui contenait sa bouteille bien remplie.

❏

La première partie du parcours, le long d'une route passante, fut la moins agréable. Les voitures, les camions et les véhicules de camping le frôlaient bruyamment, sans discontinuer.

Ghislain Gagnon fut donc ravi lorsque vint le temps de prendre à gauche le petit chemin désert qui le mena au bord de l'océan. Là, il tourna encore à gauche et continua sa course sur le dernier côté du triangle : un chemin de terre, moins dur pour les genoux, et encore moins fréquenté que le précédent. À droite, il y avait l'océan qui soufflait sur lui une brise bienfaisante. À gauche, il apercevait entre les palmiers une étendue d'eau dont il ne pouvait dire si elle était douce ou salée.

Après un bon moment, il regarda sa montre. Le chrono montrait qu'il s'était écoulé une heure trente-deux depuis son départ du camping. Était-il à moins d'une demi-heure de son retour ? Il n'en était pas sûr, parce qu'il s'était laissé distraire par la beauté du paysage et avait pu ralentir sans s'en rendre compte. Il accéléra donc quelque peu, mais relâcha bientôt le rythme. Il avait quelque chose au mollet droit. Pas une crampe. Pas encore, en tout cas. Mais quelque chose qui ressemblait à quelque chose qui pourrait devenir une crampe. Alors, il ralentit et raccourcit sa foulée. Il prit sa bouteille dans son sac à dos, but plusieurs grandes gorgées. La douleur s'éloigna. Il força encore le rythme. Elle revint. Il s'obstina. Elle aussi.

Il s'approchait d'un pont préalablement repéré sur la carte de Tom et Rita. Il ne pouvait plus être bien loin de sa destination. Trois ou quatre kilomètres, d'après l'heure cinquante écoulée. Il vida sa bouteille en franchissant les derniers pas qui le séparaient du pont. C'était un pont de bois. De bois noirci. Noirci par un incendie qui, à y regarder de plus près, l'avait détruit – pas entièrement, puisqu'il en restait, de chaque côté du cours d'eau que le pont avait naguère enjambé, de grands morceaux carbonisés. Mais au centre il n'y avait plus rien.

Ghislain Gagnon s'arrêta, évalua à une dizaine de mètres le vide entre les deux moignons de pont. À Mexico, Bob Beamon avait franchi presque neuf mètres d'un bond. Mais c'était Bob Beamon. De plus, c'était en altitude, pas au niveau de la mer comme ici. Et Ghislain Gagnon ne s'était jamais entraîné au saut en longueur.

Ce n'était pas bien grave, puisqu'il n'avait qu'à traverser à la nage. Il était piètre nageur, mais il y arriverait sûrement, en petit chien, sans se presser. Il prit toutefois la précaution de ramasser une brindille et de la laisser tomber dans l'eau. Le courant l'emporta rapidement. Un instant, Ghislain Gagnon songea à renoncer. Que lui arriverait-il s'il était entraîné dans l'océan avant d'atteindre l'autre rive ?

À bien y penser, il n'avait pas le choix. Il ne serait jamais capable de refaire sans eau une quarantaine de kilomètres. Et puis, il y avait ce début de crampe.

Il allait se lancer à l'eau lorsqu'il songea à ses souliers. Pas question de les mouiller. L'eau salée risquait d'abîmer ses chaussures à quarante dollars, qu'il entendait bien porter jusqu'au fil d'arrivée à Montréal. Après – mais après seulement –, il s'en achèterait des neuves. Les plus chères. Pour l'instant, celles-là lui étaient indispensables.

Il enleva sa chaussure gauche, prit un bon élan et la lança de toutes ses forces. Elle alla rouler sur le chemin, au moins deux fois plus loin que l'autre côté du pont.

Il se pencha alors pour s'occuper de sa chaussure droite. Tandis qu'il dénouait le lacet, il aperçut dans le coin de son œil quelque chose qui avançait tranquillement dans l'eau. Cela ressemblait tout à fait à un aileron de requin. Suivi, un bon mètre plus loin, d'une queue de requin.

Pendant quelques instants, Ghislain Gagnon admira le squale, ravi que son entraînement floridien lui procure aussi l'occasion de voir de telles merveilles de la nature.

Lorsque le requin disparut de sa vue en direction de l'océan, il prit toutefois pleinement conscience de la précarité de sa situation : il avait couru une quarantaine de kilomètres, sa bouteille d'eau était vide, il commençait à avoir des crampes, et il ne lui restait plus qu'une chaussure, l'autre étant désormais séparée de lui par un cours d'eau infesté de requins. Ou plutôt infesté d'un requin, mais c'était bien suffisant.

Il regarda sa montre. Deux heures trois minutes. Plus question de prouver à Tom et Rita qu'il pouvait courir le marathon en moins de deux heures. C'était dommage, parce qu'ils auraient été les tout premiers témoins de cet exploit. De toute façon, dans quelques mois, des milliers de personnes le verraient triompher au marathon de Montréal. Tom et Rita se moqueraient peut-être de lui en le voyant arriver avec au moins deux heures de retard sur les deux heures promises, mais il n'y avait qu'une chose à faire : rebrousser chemin et courir encore une quarantaine de kilomètres sur son unique chaussure.

Il repartit donc en trottinant. Son pied gauche sembla pendant quelques instants tout à fait disposé à courir tout nu sur ce chemin pas trop caillouteux. La crampe ne faisait pas mine de revenir. Et Ghislain Gagnon franchit quelques centaines de mètres en boitillant à peine. Il allongea le pas et se convainquit de pouvoir rentrer au camping presque aussi rapidement qu'il était venu là. Il leva les yeux vers le soleil, qui n'était pas encore monté à son zénith le plus brûlant. Il aperçut au même moment une dizaine de grands oiseaux noirs qui dessinaient des cercles loin au-dessus de sa tête.

Il s'arrêta, partagé entre ses souvenirs de centaines de westerns et celui des *Dents de la mer*, unique et terrifiant.

Être dévoré par une bande de vautours valait-il mieux que l'être par un seul requin ? Ce n'était pas évident. Mais il vint à l'esprit de Ghislain Gagnon que le requin de tout à l'heure était peut-être rendu loin dans l'océan. Et rien n'interdisait de penser qu'il n'y en avait pas d'autres dans les environs.

Il rebroussa encore chemin, revint au pont calciné, retira sa deuxième chaussure et la lança. Elle rebondit de l'autre côté, roula pas bien loin de sa jumelle de gauche.

C'était de bon augure. Il descendit sous le moignon de pont, fit deux pas dans l'eau. Il eut soudain une idée, mouilla un doigt et le porta à sa bouche. Cette eau n'était pas salée. Il n'avait qu'à remplir sa bouteille et repartir par le chemin sur ses deux pieds nus, ce qui ne serait guère plus pénible que sur un seul.

Pour plus de sûreté, il plongea sa main entière dans l'eau, suça plusieurs de ses doigts, la paume aussi : à bien y goûter, l'eau était salée. Pas très salée, mais assez pour lui faire craindre les maux d'estomac ou tout autre malaise que peut causer la consommation d'une pleine bouteille d'eau de mer.

Il observa pendant un bon moment les petits poissons qui s'étaient approchés de ses pieds. Les plus braves vinrent lui mordiller les orteils et les chevilles. Il s'avança jusqu'à avoir de l'eau au bas-ventre. Les poissons s'égayèrent dans toutes les directions. Il crut que c'était lui qui les effrayait. Pas question de les déranger plus longtemps. Ghislain Gagnon se donna une poussée en avant...

❏

Cette année-là, Raymond Lacombe gagna aisément la bourse de deux mille dollars remise au premier Québécois à franchir la ligne d'arrivée du marathon international de Montréal, deux heures vingt-deux minutes et quelques secondes après le départ.

Et qu'arriva-t-il au premier coureur à briser la barrière du marathon en moins de deux heures ?

Tout ce qu'on sait, c'est que son nom ne figurait pas dans la liste des concurrents. Et que personne n'en a plus jamais entendu parler.

Première publication :
Air France magazine, mai 1999.

Tout mon temps

J'ai tout mon temps.

Heureusement, parce que je viens de m'apercevoir que le pneu avant gauche est plat. Pas tout à fait, mais presque. Trop mou, j'en ai bien peur, pour que je sois sûr de me rendre à destination même si je n'ai pas à aller bien loin. D'autant plus que rouler avec un pneu comme ça un dimanche au petit jour risque d'attirer l'attention d'un agent de police. Et ce n'est pas le moment.

Le comble, c'est que le pneu de secours est encore plus dégonflé. Isabelle – mon ex, propriétaire de la voiture – est d'une négligence inadmissible.

Par contre, à côté de la bombe dans le coffre à bagages, j'ai trouvé un compresseur qui se branche dans l'allume-cigare. Je l'ai essayé. Il fonctionne.

Il ne me reste plus qu'un petit problème : je n'arrive pas à retirer le bouchon de la valve du pneu. C'est la première fois que je vois ça. La rouille ? La saleté ? De la colle qu'Isabelle y aurait mise par crainte de se faire voler les bouchons des valves de sa voiture ?

J'ai l'air de rigoler, mais je suis bien embêté, parce que je ne sais pas où Martine (ma future ex, propriétaire de la maison attenante au garage où se trouve la voiture de mon ex en ce moment) range ses outils.

Avec beaucoup de précautions pour ne pas faire de bruit, je vais voir au sous-sol. Je trouve un petit coffre à outils : trois tournevis et un marteau, mais pas de pince ni même de clé à molette. Je ne vois pas comment je pourrais dévisser un bouchon de valve avec un marteau ou un tournevis.

Avec les dents, peut-être ?

Je ne le saurai pas tant que je n'aurai pas essayé.

Je m'allonge sur le sol à côté de la voiture. Je réussis à saisir le bouchon entre mes dents. Mais il y a un problème : mon nez.

Je n'ai pas le nez plus long ou plus gros qu'un autre. Mais j'en ai un quand même. Et c'est lui qui m'empêche de tourner la tête pour dévisser ce damné bouchon avec mes dents. Ça va tant que je garde le nez enfoncé dans la couronne de la jante. Mais dès que je tourne la tête, le bouchon m'échappe. J'essaye dix fois au moins, sans résultat.

Heureusement, je me suis réveillé plus tôt que prévu. Et c'est la nuit la plus longue de l'année, puisque le changement d'heure me donne une heure de plus. J'ai donc tout mon temps, même si j'étais loin d'imaginer que je serais retardé par un bouchon de valve coincé.

Peut-être que, si j'enduis le bouchon de salive, ça va le lubrifier ? Je crache dessus tant que je peux. Je réessaye avec mes doigts. Rien à faire. Je me relève.

Tiens, si je regardais dans la boîte à gants ? Ah ! voilà un canif sous le manuel du propriétaire.

J'entreprends de couper le dessus du bouchon avec la lame du canif. Ça marche. Pas vite, mais ça marche. Une fois le dessus coupé, je parviens à dévisser ce qui reste. Voilà, c'est fait. La valve est libre.

De toute façon, j'ai tout mon temps. Je me le répète souvent parce que je sais que c'est de moins en moins vrai.

Je branche de nouveau le compresseur dans l'allume-cigare. Je pousse l'embout sur la valve du pneu. Je mets le compresseur en marche. Le pneu se regonfle à vue d'œil. Je me félicite parce que je n'avais jamais gonflé un pneu avec un compresseur.

Je n'ai pas de manomètre, mais ça n'a pas d'importance. Le pneu est assez gonflé, ça se voit. À peu près comme celui d'en arrière. J'enlève l'embout du compresseur, que j'éteins. Je me penche sur le pneu. Je tends l'oreille. Pas le moindre sifflement. Il devrait tenir le coup le temps qu'il faut.

Je remets le compresseur à sa place dans le coffre, à côté de la bombe.

Je n'ai plus qu'à ramener la voiture dans le garage d'Isabelle. Elle a une maison à trois rues d'ici. Celle de Martine est un bungalow ordinaire, avec garage sur le côté. Celle d'Isabelle est une maison à paliers, avec le garage à l'avant, juste sous la grande chambre.

La bombe va sauter à sept heures, d'après le plan que j'ai mis au point pour me débarrasser d'Isabelle et que voici.

Un samedi sur deux, j'ai la garde d'Éric, mon fils et celui d'Isabelle. Comme ni Martine ni moi n'avons de voiture, Isabelle me prête la sienne. Je passe à pied les prendre, la voiture et Éric, le samedi matin quand c'est mon tour.

J'en profite pour emmener le petit au cinéma – des fois avec Martine quand c'est un dessin animé. Elle déteste les films pour enfants qui mettent en scène de vrais acteurs. Elle a parfaitement raison. Mais je suis le père d'Éric et je suis bien obligé d'y aller, moi. Tout un samedi à la maison avec un enfant de six ans, ce n'est pas exactement une partie de plaisir. Si le monde était bien fait, les producteurs sortiraient toutes les deux semaines un nouveau long métrage de dessin animé.

Le dimanche matin, je vais reconduire Éric chez sa mère et je laisse la voiture dans le garage, en rappelant à Éric de ne pas faire de bruit en rentrant dans la maison. Sa mère aime bien dormir tard le dimanche. Moi, je n'ai pas cette chance : je travaille à dix heures, dans une librairie de Brossard où je me rends à pied.

Ce matin, je vais laisser Éric dormir chez Martine. Je vais seulement conduire la voiture (bombe comprise) dans le garage d'Isabelle.

Pourquoi suis-je assuré que je ne serai pas soupçonné d'avoir mis la bombe dans la voiture ?

C'est là que mon plan tient du génie – aidé quelque peu par le hasard, je le reconnais.

Pour commencer, ce n'est pas moi qui ai fabriqué la bombe. Je n'y connais rien, aux bombes et aux mécanismes à retardement. C'est Louis, un vieux copain à moi, qui l'a construite. Il est aussi depuis peu l'amant d'Isabelle. Il dort avec elle en ce moment.

Il ne pourra pas me dénoncer, pour la simple raison qu'il va mourir lui aussi. Et la police va croire qu'il a confectionné une bombe qu'il devait aller poser quelque part mais qui a explosé de façon prématurée juste sous le lit où il dormait avec sa maîtresse.

La seule véritable difficulté de mon plan a été de convaincre Louis de fabriquer cette bombe.

Il y a une trentaine d'années, il en a fait quelques-unes pour la dernière incarnation du Front de libération du Québec. Après quelques années de prison, il est resté tranquille. Il a un petit atelier spécialisé dans les systèmes électriques de voitures. Si vous avez un problème de démarreur, d'alternateur ou de fusibles qui sautent tout le temps, je vous le recommanderais, mais il est trop tard.

Je projette d'assassiner Isabelle depuis qu'elle m'a annoncé qu'elle va déménager en Californie en emmenant Éric. Je veux bien admettre qu'une informaticienne a le droit d'aller s'enrichir dans la Vallée du Silicone. Mais je ne comprends pas pourquoi je serais obligé de payer les billets d'avion si Éric vient ici ou si je vais le voir là-bas. Isabelle a même refusé que je cesse de lui verser le quart de mon salaire. « C'est toujours ton fils », elle a dit. J'ai consulté mon avocat, qui m'a répondu qu'il n'y a rien à faire. Si Isabelle se présente devant un juge avec une preuve d'emploi là-bas, elle va gagner sur toute la ligne. Pas question que je diminue ma pension alimentaire. Pas question que j'aie mieux que vingt-cinq jours de visite par année, ici ou là-bas, à mes frais.

Elle est belle, la justice de notre pays !

Et après ça, on s'étonne que des pères paisibles se transforment en assassins.

J'ai cherché un moyen de tuer Isabelle sans me faire prendre. Mais je suis plutôt intellectuel de nature et vraiment nul dans les choses manuelles. Quand il faut une demi-heure pour enlever le bouchon d'une valve de pneu, c'est qu'on n'est pas habile de ses dix doigts.

Après avoir rejeté le poison, les armes à feu et les armes blanches, qui auraient tous exigé de ma part une dextérité et des connaissances que je n'ai pas, j'avais vaguement rêvé de commander une bombe à Louis et de la laisser dans la voiture un dimanche matin.

Mais il y avait des tas d'embûches à surmonter. La première difficulté : convaincre Louis de me fabriquer un engin explosif.

Il avait pris sa retraite de ce genre d'activité depuis trois décennies. Il n'accepterait de s'y remettre que pour un ami et surtout pour une bonne cause.

Quand j'ai appris que Montréal serait cette semaine le théâtre d'une conférence internationale sur les OGM, j'ai senti que je tenais le prétexte idéal. J'ai lu tout ce que j'ai pu trouver dans les journaux au sujet des organismes génétiquement modifiés. Et j'ai convaincu Louis que j'étais persuadé qu'ils sont la pire de toutes les menaces qui pèsent sur notre planète. Louis n'était pas tout à fait d'accord, mais ça n'avait pas d'importance. Il suffisait qu'il me croie prêt à partir en guerre contre ces végétaux qui, sous prétexte de nous soulager dans l'immédiat de quelques parasites inconciliables avec la rentabilité agricole, risquent d'être à la merci de nouveaux parasites imprévisibles et d'occasionner des famines abominables.

Comment empêcher ça ? Par un coup d'éclat – en déposant dans les sous-sols de l'hôtel Continental, où se déroule la conférence, une bombe d'une puissance telle que tout l'édifice s'écroulera au petit jour, et avec lui la menace des technologies transgéniques, parce que les plus grands spécialistes de la planète seront décédés dans leur lit ou en prenant leur petit déjeuner.

Et ce sera, lui ai-je dit, ma contribution personnelle au bonheur de l'humanité, contribution qui a été jusqu'ici plutôt modeste, je le reconnais. Je lui ai expliqué l'effet de ma démarche, même si je ne croyais rien de ce que je racontais :

— Le développement des OGM sera retardé d'au moins vingt ans. Peut-être même sera-t-il totalement abandonné. Les savants, ce ne sont pas des militaires. C'est peureux et ça ne se renouvelle pas en six mois d'entraînement.

— Puisque je te dis que je ne fais plus de bombes.

— Si tu veux, je peux te faire rencontrer Isabelle.

Louis n'était pas encore l'amant d'Isabelle, mais il a toujours craqué pour elle. Même qu'il m'avait trouvé fou de la quitter (en réalité, c'est elle qui m'avait foutu à la porte quand elle m'avait surpris au lit avec Suzanne, mais le résultat avait été le même).

En février, je les ai invités à souper chez Martine, qui n'aimait pas trop l'idée parce qu'elle est jalouse. Mais je lui ai fait comprendre que dès qu'Isabelle aurait refait sa vie avec un autre type, elle n'aurait plus rien à craindre de mon ex.

Ça avait marché, malgré la différence d'âge. Isabelle doit avoir dix ans de moins que Louis. Elle a compris que je lui laissais sa liberté avec Louis, qui avait toujours été, de mes rares amis, celui qu'elle préférait. Jusque-là, même séparée de moi, elle n'avait jamais osé coucher avec mon meilleur ami. Et Louis avait eu le même sentiment : je lui laissais la voie libre et il aurait été fou de ne pas en profiter.

Quelques jours plus tard, c'était gagné : j'ai vu, en me rendant travailler, la voiture de Louis garée devant la maison d'Isabelle.

Je ne me suis pas gêné pour réclamer mon dû. Et Louis m'a remis hier une jolie bombe dans une belle valise à roulettes, à l'allure parfaitement inoffensive. Il a même accepté, à cause de mes maux de dos, de la placer dans le coffre de la voiture d'Isabelle.

Il y a donc, dans ce coffre, une valise avec une bombe que je suis censé déposer dans le stationnement souterrain de l'hôtel Continental mais que je vais plutôt laisser, toujours dans la voiture d'Isabelle, sous mon ex-chambre conjugale.

Maintenant que j'ai réussi à regonfler ce satané pneu, j'ai tout mon temps, puisque tout ce qu'il me reste à faire, c'est laisser la voiture chez Isabelle. Ça ne me prendra que cinq minutes.

Louis m'a dit, quand je suis allé chercher la bombe à son atelier : « Je l'ai réglée pour sept heures, mais n'oublie pas qu'on passe à l'heure avancée. »

Justement, il est temps que je mette ma montre à l'heure. Je sais que c'est à deux heures du matin que l'heure change. Mais je dormais à ce moment-là. Alors voilà : je recule ma montre d'une heure pour passer à l'heure avancée.

Qu'est-ce que je viens de dire ?

C'est bizarre : on recule les montres pour passer à l'heure avancée !

Voilà un autre de ces grands paradoxes qui font le charme de la vie. Il me semble que ce serait plus logique de passer à l'heure avancée en avançant nos montres d'une heure. Mais c'est comme ça, on n'y peut rien. Je tourne la couronne. L'aiguille des minutes fait un tour complet et la petite aiguille recule d'une heure.

Il est presque quatre heures du matin. Dans le fond, je pourrais aller me coucher encore un peu.

À moins que…

Merde ! Et si je m'étais trompé ?

Se pourrait-il qu'en ce dernier dimanche d'avril on passe à l'heure avancée en avançant les montres au lieu de les reculer ?

Vite, je réfléchis.

Hier, le soleil s'est couché vers dix-neuf heures. Avec l'heure avancée, le soleil va se coucher, ce soir, vers vingt heures, puisque c'est ça, le principe essentiel de l'heure d'été : rallonger les journées. Donc, il faut que je recule ma montre d'une heure si je veux qu'il soit ce soir vingt heures au lieu de dix-neuf au coucher du soleil.

Non, ce n'est pas du tout ça.

Il faut que je l'avance d'une heure ! Dix-neuf plus un – pas dix-neuf moins un – égalent vingt.

Il n'est pas du tout presque quatre heures. Il est presque six heures. Je fais faire deux tours en avant à la petite aiguille.

J'ai quand même tout mon temps : une heure encore, puisque Louis a dit « sept heures ».

Mais je sens tout à coup mon ulcère d'estomac qui se réveille comme dans le temps où je vivais avec Isabelle.

Louis a dit : « Je l'ai mise pour sept heures, mais n'oublie pas qu'on passe à l'heure avancée. » Qu'est-ce que ça veut dire ? Ça ne peut vouloir dire qu'une chose : il l'a mise pour sept heures à l'heure avancée. Ça fait six heures à l'heure normale !

Je regarde ma montre. Cette damnée bombe va sauter dans même pas cinq minutes. Et elle ne va pas juste me sauter sous le nez. Elle va faire sauter toute la maison, avec Martine. Et surtout avec Éric.

Qu'est-ce que je fais ? Est-ce que j'ai le temps de sortir la voiture dans la rue ? Je pense que oui.

Je cours à la porte du garage. Je l'ouvre.

J'hésite. Et si je fuyais à toutes jambes ? Mais je serais le pire des salauds. Et tout le monde le saurait, parce que ça ne pourrait être personne d'autre que moi qui aurait laissé cette bombe dans ce garage. On m'accuserait d'avoir tué mon fils et ma concubine, pour des raisons obscures mais plausibles : démence, dépression, jalousie, que sais-je encore ? Et je pourrais difficilement me défendre, puisque c'est exactement ce que j'aurais fait.

Je n'ai pas le choix : il faut que je joue aux héros, même si je ne suis pas très doué pour ça.

Je cours à la portière de gauche, je l'ouvre. La clé ! Elle n'est plus dans la poche de pantalon où je la mets toujours. Pas dans la poche gauche non plus, ni dans celles de mon blouson.

Je referme la portière et je m'éloigne de quelques pas. Je pourrais crier pour les réveiller. Mais Martine et Éric dorment comme des loirs. Aussi bien courir. Qu'est-ce que ça donnerait, un mort de plus ?

Mais je m'arrête.

Je suis con ! J'ai laissé la clé dans le démarreur de la voiture quand j'ai branché le compresseur.

Je rouvre la portière, je m'installe au volant. Oui, la clé est là. Je la tourne. Pourvu que le moteur démarre. C'est fait. Je referme la portière. Je mets en marche arrière. La voiture recule docilement. Me voilà dans l'entrée de garage, puis dans la rue. Je tourne, je mets en marche avant. J'appuie sur l'accélérateur.

Je roule une bonne centaine de mètres. Ça devrait suffire. Mais on ne sait jamais. J'ai demandé à Louis une bombe assez puissante pour réduire en bouillie un des plus grands hôtels de Montréal. Je roule encore quelques secondes. Est-ce que je continue jusque dans le garage d'Isabelle ? La montre du tableau de bord indique quatre heures cinquante-huit. Celle à mon poignet, six heures moins trois. Il ne faut pas abuser de sa destinée. Je stoppe à côté d'un parc, désert en pleine nuit.

Voilà. Il faudrait que ce soit une bombe nucléaire pour que la maison de Martine soit touchée. Je sors de la voiture, je cours vers la maison. Il n'y a personne dans la rue ni sur les trottoirs. Brossard dort à poings fermés.

Me voilà devant chez Martine. Je me mets à l'abri derrière la maison.

Non. Ça ne colle pas. Si je ne suis pas avec elle quand la bombe va exploser, Martine va se douter de quelque chose. Je rentre par le garage et je referme la porte derrière moi. Ma montre indique six heures. La bombe n'explose pas. Mais je n'ai peut-être pas l'heure exacte.

J'enlève mon blouson et je le mets sur un cintre dans la penderie de l'entrée. Je retire mes souliers pour ne pas faire de bruit, même si je sais que Martine dort comme un ours en hiver. En passant devant la cuisine, je vois l'heure à l'horloge de la cuisinière : il est quatre heures cinquante-neuf, donc six heures moins une à l'heure avancée.

J'ai tout mon temps.

Je monte les marches, j'entre dans la chambre de Martine. Je me déshabille rapidement et silencieusement, je mets mes vêtements sur une chaise.

Je m'étends à côté de Martine. Elle dort toujours comme une bûche, en ronflant doucement. Sur la table de chevet, l'affichage de la radio donne cinq heures et une minute. Elle a peut-être un petit peu d'avance.

Je tends l'oreille. La bombe peut exploser maintenant.

Si la voiture est complètement volatilisée comme elle devrait l'être, je n'ai finalement rien à craindre.

Quand bien même la police apprendrait que c'est la voiture d'Isabelle, il me sera facile de m'en tirer. La police découvrira sans trop d'efforts que l'amant de ma femme a déjà été artificier pour le FLQ. Je nierai tout ce que Louis dira au sujet de ma commande. Isabelle témoignera que j'ai pris sa voiture comme tous les deux samedis. Je reconnaîtrai que oui. Mais comment aurais-je pu savoir que Louis avait mis une bombe dedans ? De toute façon, cette bombe était évidemment destinée à me tuer, moi, l'ex-mari de la maîtresse de Louis, puisqu'elle devait exploser dans le garage de Martine à six heures du matin. De plus, l'avocat d'Isabelle m'a forcé l'an dernier à prendre une assurance-vie dont elle est bénéficiaire. Je ne pensais pas qu'elle me serait utile un jour, pour prouver qu'Isabelle est la complice de Louis. Éric sera à moi et je garderai tout mon salaire !

C'est bien joli tout ça, mais comment expliquer que la voiture a explosé devant le parc et non dans le garage de Martine ?

Je réfléchis. Je trouve.

J'aurais pu sortir pour acheter des cigarettes, mais ça ne marche pas : je ne fume plus. Mais j'ai recommencé, justement ! Ou plutôt j'étais sur le point de me remettre à fumer. Une envie de nicotine qui m'a pris ce matin à six heures moins cinq.

Hélas, la voiture est tombée en panne alors que je m'en allais chez le dépanneur.

Quel genre de panne ?

Qu'est-ce que ça peut faire ? La voiture sera en millions de pièces dont aucune ne fonctionnera plus jamais. Elle a cessé de rouler, tout simplement.

Il faut quand même que je puisse dire comment. Elle n'avait plus d'essence ? Mieux : c'est le système électrique qui a cessé de fonctionner. Plus de lumière au tableau de bord, plus de phares, plus rien. Un fusible, peut-être. Il serait bien étonnant qu'après l'explosion il n'y ait pas au moins un fusible brûlé. Je l'ai laissée là où elle s'est arrêtée et je suis revenu chez Martine à pied et sans cigarettes.

Six heures et quatre. Je n'ai rien entendu. Il n'est pas possible que la bombe ait explosé sans que je l'entende, et même sans que la terre tremble et que quelques vitres se brisent.

Six heures et six : la bombe n'a pas sauté. Elle ne sautera pas, c'est évident. Louis est un incapable. Pas étonnant qu'il se soit fait prendre quand il était avec le FLQ.

C'est embêtant, ça. J'aurais bien aimé me débarrasser d'Isabelle et garder Éric pour moi tout seul. Il faudra que je trouve autre chose.

Le congrès sur les OGM se termine aujourd'hui. Louis n'acceptera pas de me fabriquer une autre bombe ou de réparer celle-là si elle est réparable. Surtout, comment pourrais-je lui faire confiance, maintenant ? Et puis comment justifier que la bombe soit à Brossard et non à l'hôtel Continental ?

Il va se douter de quelque chose. Peut-être même deviner que ce n'était pas du tout le Continental que je visais.

Je n'ai qu'à lui dire que j'ai laissé la valise, comme prévu, dans le stationnement souterrain de l'hôtel. J'ai attendu un peu plus loin. Puis, à six heures et demie, voyant que rien ne se passait, je suis retourné prendre la valise et je suis revenu tuer le temps chez Martine avant de ramener la voiture chez Isabelle comme prévu pour ne pas éveiller ses soupçons.

Cela tient debout.

C'est d'ailleurs ce que je vais faire, maintenant que j'ai tout mon temps.

Je vais d'abord chercher la voiture près du parc et la ramener ici. Quand Éric se réveillera, j'irai le reconduire chez sa mère comme si de rien n'était.

Louis se démerdera avec sa bombe merdique. D'ailleurs, il aurait été étonnant qu'après trente ans il n'ait pas perdu la main.

Je me rhabille sans bruit. Je sors de la chambre. Je remets mes souliers et mon blouson.

Il fait presque jour, maintenant. La marche me détend. La matinée est fraîche. La voiture est là, intacte. Le pneu avant gauche est toujours bien gonflé.

La voiture démarre encore comme un charme.

Je la laisse dans le garage, chez Martine. Il ne me reste plus qu'à retourner me coucher. Vers huit ou neuf heures, quand Éric se réveillera, j'irai le reconduire.

Il est sept heures moins sept.

Je m'apprête à aller rejoindre Martine dans son lit.

Mais il y a un problème. Si la bombe n'a pas sauté, il faut que je sois furieux, après tout ce que j'ai dit à Louis sur les OGM et l'indignation qu'ils m'inspirent.

Si je ne suis pas fâché, il va soupçonner quelque chose. Un militant comme moi, tout néophyte qu'il soit, ne se laisse pas refiler une bombe défectueuse sans en vouloir à mort à celui qui la lui a fourguée.

D'ailleurs, ça tombe bien, parce que j'ai vraiment envie d'engueuler Louis. On ne fait pas ça à un copain, lui fournir une bombe qui n'explose pas.

Je m'assure que la porte de la chambre est bien fermée. Je prends dans le salon le téléphone sans fil sur son socle et je vais m'asseoir dans les toilettes en refermant derrière moi pour être sûr qu'on ne m'entendra pas.

Je téléphone chez Isabelle. C'est elle qui répond. Elle n'est pas contente de se faire réveiller, ça s'entend à son ton de voix. Cela me procure un petit plaisir supplémentaire. Pas assez pour me venger de la bombe ratée, mais c'est mieux que rien.

— Passe-moi Louis.

— Mais…

— Je sais qu'il est là. Passe-moi Louis.

Je l'entends qui dit : « Louis, c'est pour toi. »

— Oui ? fait la voix de Louis.

— Tu es un beau salaud.

— À cause d'Isabelle ? Mais c'est toi qui m'as dit…

— Pas pour ça. Parce que tu m'as donné une bombe pourrie.

— Qu'est-ce qui te fait dire ça ?

— Elle n'a pas sauté.

— Qu'est-ce qui te fait dire ça ? répète-t-il.

Je le sais parce qu'elle était tout près d'ici à l'heure dite et qu'elle n'a pas explosé. Mais je ne peux pas dire ça. J'essaie :

— La radio en aurait parlé.

Louis soupire à l'autre bout du fil avant de me demander :

— Qu'est-ce que je t'ai dit, hier ?

Il m'a dit des tas de choses. Comment pourrais-je savoir de quoi il parle ?

— Qu'est-ce que tu m'as dit ?

— Pour l'heure. Je t'ai dit sept heures, mais de ne pas oublier qu'on passe à l'heure avancée.

— Bien sûr, je sais ça. Tu me prends pour un crétin ? Ça veut dire six heures.

— Tu n'as rien compris. J'ai mis la bombe pour six heures, à l'heure normale. Ça fait sept heures à l'heure avancée.

Ah bon ! Ça explique tout. S'il avait été plus clair, on se serait mieux compris.

— Tu aurais pu…

Je ne termine pas ma phrase, parce que je jette un coup d'œil à ma montre. Il est six heures cinquante-neuf. Presque sept heures.

Merde !

Je laisse tomber le sans-fil. Je sors de la salle de bains en hurlant : « Éric, Éric, réveille-toi vite ! »

La tête de Martine apparaît à la porte de sa chambre.

— Qu'est-ce qui se passe ?

— Sors de la maison, vite !

— Qu'est-ce qui se passe ?

Qu'elle se démerde. Je cours dans l'autre chambre. Éric n'est pas réveillé. Je le prends dans mes bras, je me retourne.

Martine est dans la porte, en robe de nuit. Elle répète encore :

— Qu'est-ce qui se passe ?

Qu'est-ce qu'elle s'imagine ? Que j'ai tout mon temps ? Je fonce dans la porte. Je bouscule Martine sans faire exprès. Elle tombe sur le dos. Je descends l'escalier avec Éric dans mes bras. Il commence à se réveiller.

— Sauve-toi, je crie encore à Martine en ouvrant la porte. Ça va…

Première publication :
revue *Alibis*, n° 1, 2001.

Prenez cinq

J'avais dix-sept ans. Je m'en souviens parfaitement, parce que ça tombait bien : j'étais mineur, et il vaut mieux être mineur si on se fait prendre à cambrioler la maison des voisins. Si j'avais risqué de passer devant le tribunal pour adultes, je n'aurais sans doute pas osé.

Mais peut-être que oui. Ce cambriolage-là promettait d'être facile et payant. Je ne m'en serais sans doute pas privé, même à dix-huit ans passés.

Nos voisins s'appelaient Élise et Roch Martin. Ils avaient déjà été victimes d'un cambriolage, à la fin de l'hiver, pendant leurs vacances en Floride. Avant de partir en voyage, ils avaient laissé la clé de leur maison à mes parents, parce qu'on ne sait jamais. C'est donc mon père qui s'est aperçu du vol en allant faire une des rondes hebdomadaires exigées par la compagnie d'assurances.

Les Martin étaient revenus quelques jours plus tard. Ils avaient remplacé leur chaîne stéréo

et leur collection de disques, la télé et le magnétoscope. Ils avaient aussi fait installer un système
antivol. Mais ils nous avaient encore laissé la clé.
On a beau faire confiance à la technologie, on ne
sait jamais.

J'avais donc accès à la clé (rangée dans le tiroir des ustensiles) de voisins qui possédaient des
appareils électroniques flambant neufs. C'était
tentant, mais il y avait mieux encore.

Roch Martin avait expliqué à mon père que
si les cambrioleurs coupaient l'électricité de la
maison avant d'entrer, l'alerte sonnerait quand
même à la centrale du service de sécurité. Le seul
moyen pour les voleurs d'empêcher ça, c'était de
commencer par couper le fil du téléphone.

À dix-sept ans, quand on sait qu'on n'en a
plus que pour quelques mois avant de passer
pour un adulte au yeux de la justice si on se fait
prendre, même s'il n'y a aucune chance que ça
arrive, c'est difficile de résister à une tentation
pareille. Surtout quand on est pauvre et que, sans
jamais avoir été privé de rien, on n'a jamais rien
eu non plus.

Un soir, cet été-là, mes parents sont allés à
l'une de leurs rares sorties régulières : l'assemblée
annuelle de la caisse populaire, au village.

J'ai pris dans la remise l'échenilloir à long
manche. Au lieu de marcher sur la route qui
passe devant chez nous et chez les Martin, j'ai
pris par le bois derrière nos terrains. Comme ça,
je n'aurais pas l'air suspect avec mon échenilloir

si quelqu'un me voyait. D'autant plus que personne ne pourrait me voir.

La Chrysler des Martin n'était pas devant leur maison. Tout se présentait bien.

Couper le fil du téléphone a été facile. Je suis ensuite retourné chez nous. J'ai rangé l'échenilloir à sa place dans la remise, parce que je ne pourrais pas le rapporter en même temps que mon butin. Et je suis reparti chez les Martin, en passant toujours par le bois. Cette fois, j'emportais deux boîtes de carton.

La Chrysler n'était pas revenue. Je suis monté sur le perron à l'arrière de la maison, j'ai mis la clé dans la serrure, j'ai tourné, j'ai poussé la porte.

On n'est jamais trop prudent. J'ai compté jusqu'à cent avant d'entrer, au cas où je me serais trompé de fil en voulant couper celui du téléphone. Monsieur Martin nous avait expliqué que si quelqu'un entrait dans la maison quand le système était activé, une sonnerie se ferait automatiquement entendre à la centrale, qui rappellerait tout de suite à la maison. Si c'était une fausse alerte, monsieur Martin n'avait qu'à répondre et donner son numéro de code pour prouver qu'il était un client, pas un voleur. Le code, il l'avait gardé pour lui. Mais ça n'a pas eu d'importance, parce que le téléphone n'a pas sonné.

Je suis entré dans la cuisine, j'ai marché jusqu'au salon. Dans une de mes boîtes, j'ai placé le magnétoscope, l'ampli et le lecteur de disques compacts et je suis allé porter ça près de la porte de la cuisine. Dans l'autre, j'ai entrepris de mettre la collection de disques toute neuve des Martin. Pas la peine de choisir. À Montréal, j'aurais au moins huit dollars par disque, peu importe le genre. Les Martin avaient beaucoup de musique classique, un peu de jazz et toute une série de vieilles chansons françaises – des trucs comme Yves Montand et Édith Piaf.

Lorsque la boîte a été presque pleine, je l'ai bien refermée. Je l'ai soulevée. Elle pesait une tonne ou presque, et j'ai voulu la rouvrir pour l'alléger. Comme ça, je pourrais empiler les deux boîtes l'une sur l'autre et je n'aurais qu'un voyage à faire jusque chez nous. Mais je n'ai pas eu le temps de la déposer par terre. J'ai entendu tout à coup des bruits de pneus dans l'entrée. Des phares ont balayé le mur au-dessus de moi.

Les Martin étaient revenus !

Je n'ai pas paniqué parce que j'avais tout prévu. Je n'avais qu'à me sauver par la porte d'en arrière. Mais ce serait difficile de fuir avec les deux boîtes. Laquelle choisir ? De toute façon, les disques valaient autant que les appareils. J'ai poussé avec l'épaule la porte que j'avais laissée entrouverte, j'ai descendu les marches, et j'ai disparu dans la forêt en même temps que j'entendais la voix d'Élise Martin, de l'autre côté de la maison :

– Passe-moi les clés.

J'ai eu bien envie d'abandonner la boîte de disques. Mais cent ou deux cents disques, à huit dollars chacun, ça fait beaucoup d'argent quand on a dix-sept ans et pas un sou en poche.

Le temps qu'ils entrent chez eux, j'ai entendu Élise Martin s'exclamer :

— Ils sont revenus !

Je me suis mis à courir. Mais j'ai trébuché sur une racine. La boîte m'a échappé. Je suis tombé par-dessus.

Pas de chance. La boîte s'est brisée et les disques se sont éparpillés par terre dans le noir. J'ai tendu la main. J'en ai touché un. Il était sorti de sa pochette. J'ai tâté autour, j'ai trouvé la pochette ouverte, et j'ai remis le disque dedans.

— Je pense qu'il y a quelqu'un dans le bois, a fait alors la voix de Roch Martin derrière moi.

Et il s'est mis à éclairer les troncs d'arbres à ma gauche, avec une lampe de poche.

— Vas-y pas, c'est trop dangereux, a ordonné sa femme.

Pendant un long moment encore, la lueur a fouillé la forêt. J'allais mourir de peur, lorsqu'il a dit :

— Y a personne.

La lampe de poche s'est éteinte. La porte des Martin s'est refermée.

J'ai attendu longtemps, que les battements de mon cœur se calment. J'ai encore tâté dans le noir. Je ne pouvais pas emporter tous ces disques dans une boîte éventrée. Surtout que je n'avais pas très envie de me relever et de risquer que Roch Martin rallume sa lampe de poche, parce qu'il avait peut-être seulement fait semblant de rentrer.

Il fallait ramper. Pas facile quand on a les mains pleines.

J'ai mis entre mes dents le disque que j'avais trouvé. J'ai avancé lentement, à quatre pattes. Quand j'ai été sûr qu'on ne pouvait plus me voir de la maison des Martin, je me suis relevé et remis à courir, en serrant le disque dans ma main.

❏

Rentré chez nous, j'ai replacé la clé des Martin dans le tiroir.

Je suis monté à ma chambre, avec mon disque, souvenir ridicule de ma mésaventure. J'avais honte, parce que j'avais risqué de causer des tas d'ennuis à mes parents pour un petit disque de rien du tout. J'étais vraiment un ingrat. Pas seulement envers mes parents, mais aussi envers les Martin, qui avaient toujours été gentils avec moi.

Qu'est-ce que j'allais faire de ce maudit disque, que j'aurais dû laisser dans le bois avec les autres ?

C'était de la musique classique. Ça se voyait facilement, même si je n'avais jamais eu un disque classique entre les mains.

Il y avait un nom en gros : ERIK SATIE. En caractères gras était écrit **Œuvres fantaisistes**. Après, en plus petit, une liste de titres : *Nouvelles pièces froides*, *Préludes flasques (pour un chien)*, *Véritables préludes flasques (pour un chien)*...

Il y avait aussi une illustration de l'ancien temps, avec un couple qui dansait, un monsieur à chapeau melon assis devant un piano, et un chien qui parlait dans un grand cône de vieux phonographe.

Erik Satie, c'était peut-être le nom d'un chien chanteur ?

Impossible de savoir, parce que nous n'avions à la maison qu'un vieil appareil dans un meuble de bois comme il ne s'en fait plus depuis longtemps. Et une collection de vieux disques de vinyle – surtout de la musique western.

Pas question d'aller vendre l'album en ville. Pour huit dollars, je pouvais me faire prendre si les Martin signalaient à la police la disparition de ce disque-là, qui était peut-être très rare.

J'ai caché le disque du chien chantant dans le fond de mon tiroir à chaussettes.

❏

Le lendemain, les Martin sont venus nous demander si nous avions vu quelque chose d'anormal la veille au soir. Mon père et ma mère ont répondu qu'ils étaient à la caisse populaire. J'ai expliqué en rougissant que j'avais passé la soirée dans ma chambre, qui donnait de l'autre côté par rapport à leur maison. Personne n'a eu l'air de s'étonner que je rougisse. Il est vrai que je rougissais toujours quand Élise Martin était là. C'était une belle femme de la ville. Pas nécessairement plus belle que les femmes de la campagne, pas nécessairement mieux habillée, juste plus... Plus quoi ? Plus femme de la ville, c'est tout.

— De toute façon, a dit Roch Martin, on est arrivés juste à temps. Ils se sont sauvés par en arrière. Ils ont juste pris une boîte pleine de disques. Mais ils l'ont échappée dans le bois. On a tout retrouvé.

— J'ai vérifié avec la liste des disques qu'on a achetés au printemps, a ajouté Élise Martin. Il nous en manque rien qu'un.

Les Martin sont repartis en jurant qu'ils allaient changer leur système de sécurité. Et je me suis juré que jamais plus je ne volerais quoi que ce soit.

Je n'aurais peut-être jamais écouté le disque d'Erik Satie. Sauf qu'à Noël, cette année-là, mes parents m'ont offert un baladeur pour disque compact. « Quasiment neuf », d'après mon père. Avec trois disques – rien que du western – que j'ai détestés profondément dès la première écoute. Je trouvais ça vulgaire, parce que c'était la musique préférée de mes parents.

Un jour, je me suis rappelé le disque du chien chantant. Je l'ai retrouvé sous mes chaussettes.

Ça n'était pas du tout un chien chantant. Pas un chien pianiste non plus. Le mot chien apparaissait dans deux titres, c'est tout.

Le premier mouvement (j'avais lu dans un livre que les parties d'une œuvre classique s'appellent des mouvements), celui qui s'intitulait *Nouvelles pièces froides*, était plutôt amusant. Il y avait du piano, du rythme, un instrument qui pouvait être un saxophone. Mais c'était un peu répétitif à mon goût. Le deuxième mouvement, *Préludes flasques (pour un chien)*, était franchement ennuyeux. Encore un truc au piano. Avec ensuite du saxophone toujours, mais lent comme un coucher de soleil. Vraiment, de la musique classique très ordinaire, il m'a semblé, même si je n'en avais jamais entendu.

Par contre, le troisième mouvement, *Véritables préludes flasques (pour un chien)*, m'a plu comme je n'aurais jamais cru que de la musique classique pourrait me plaire. Ça débutait encore au piano, et ça continuait avec un solo de saxophone qui jouait quelque chose comme Tararararararara, tararam, tararam, tarararam. Et la musique se mettait à sautiller, à danser, à rire et pleurer en même temps. Oui, c'était drôle et triste. Ancien et nouveau. Jubilatoire, si vous me permettez d'utiliser un grand mot. Bien plus intéressant que les pièces qu'il y avait avant et après sur le disque.

J'ai dû écouter le disque d'Erik Satie au moins cinq cents fois cet été-là. Et *Véritables préludes flasques* plusieurs milliers. En fait, je pense que je n'ai jamais sorti le disque du baladeur, jusqu'au jour où je les ai oubliés tous les deux dans l'auto-bus pour Montréal.

❏

Six ans plus tard – j'avais vingt-trois ans, je m'en souviens parce que je venais de déménager en ville –, je suis allé à un concert du Festival de jazz. Je m'y connaissais encore moins en jazz qu'en musique classique. Mais un copain de tra-vail m'avait donné un billet. Il ne pouvait pas y aller à cause d'une fille qu'il venait de rencontrer. Comme il n'y avait plus un seul billet à vendre, il a dû choisir entre la fille et le concert.

– C'est Dave Brubeck. Tu vas voir, c'est mau-ditement bon, a dit le copain.

Je suis arrivé en avance au théâtre Saint-Denis. J'ai trouvé mon siège. Je me suis assis.

Vous ne devinerez jamais qui est venu s'asseoir à côté de moi quelques minutes plus tard.

Élise Martin !

Elle m'a reconnu, m'a dit bonsoir, m'a de-mandé ce que je devenais. Je lui ai dit que je tra-vaillais dans les transports. Je ne pouvais quand même pas avouer que j'étais livreur pour une brasserie artisanale. Elle m'a dit que c'était très bien, que Roch et elle s'étaient séparés et qu'elle avait maintenant un appartement où elle vivait, en ville.

Elle a posé sa main sur mon bras. C'était la première fois qu'une femme me faisait ça.

Le concert a commencé.

Essayez de deviner par quoi.

Vous ne l'aurez jamais : par *Véritables préludes flasques*. Je ne pouvais pas me tromper. C'était comme si le morceau avait été joué par les mêmes musiciens que sur mon disque.

Alors, pour montrer à la femme qui avait touché mon bras que j'étais moins inculte que je pouvais en avoir l'air, j'ai chuchoté à son oreille, avec la prétention d'un connaisseur même si c'était la seule musique que je connaissais :

— C'est *Véritables préludes flasques pour un chien.*

Élise Martin s'est tournée vers moi. Elle m'a regardé en fronçant les sourcils.

— Erik Satie, j'ai ajouté pour faire l'étalage vraiment complet de ma culture musicale.

Mais Élise Martin n'avait pas l'air épatée. Elle m'a plutôt regardé comme si j'étais un débile profond.

Puis son regard a changé, à mesure qu'elle comprenait. Et moi, qui l'observais du coin de l'œil, j'ai commencé à comprendre aussi, mais avec une ou deux secondes de retard. Elle se souvenait d'avoir trouvé dans le bois derrière sa maison la pochette vide d'un disque de Dave Brubeck et un disque d'Erik Satie sans pochette. Et elle a fait le rapprochement avec ce que je venais de dire et la musique qu'on entendait. De mon côté, je me rendais compte que le disque

que j'avais écouté tant de fois n'était pas du tout celui annoncé par la pochette.

— Voleur, elle a murmuré en détournant son regard du mien.

À l'entracte, je me suis enfui.

❏

Je n'ai jamais revu Élise Martin.

Et je n'ai jamais plus écouté *Take Five*. Il arrive parfois que ça joue à la radio. Dès que j'entends Tararararararara, je n'attends pas le tararam.

Je ferme la radio.

Première publication :
collectif *Jazz et blues magiques*,
Les Heures Bleues, 2000.

Un sandwich à Rarotonga

Le voyageur dépose la serviette sur son épaule et glisse le sac sous son bras. Il s'assure que la porte de la cabane est bien fermée à clé. Elle l'est.

Il marche jusqu'à la route et la longe jusqu'à la plage. Deux kilomètres à peu près. Malgré la chaleur, il ne transpire pas, grâce à la brise sèche qui souffle de la mer.

Voilà la plage. Il n'y a personne. L'homme s'y attendait. Depuis six jours qu'il est dans cette île, il n'y a jamais eu que lui sur cette plage-là. Il s'y est toujours baigné seul et ne s'en est jamais plaint.

Il s'avance de quelques pas sur le sable, s'arrête pour glisser ses pieds hors de ses sandales, continue encore un peu, regarde où est le soleil : presque au zénith.

Il va étendre sa serviette à l'ombre d'un cocotier. Il s'assoit dessus. Il dépose le sac de plastique par terre à côté. Il regarde encore autour de lui. Toujours personne. Il scrute plus attentivement

les buissons, derrière, entre la plage et la route. Il
est bel et bien seul.

Il se redresse et tire vers lui la partie la plus
éloignée de la serviette. Il entreprend ensuite de
creuser dans le sable avec ses mains. Lorsqu'il
juge que le trou est assez grand et assez profond,
il examine encore les buissons. Une petite moto
passe en pétaradant sur la route. Son conducteur ne fait pas attention à lui et disparaît bientôt.

Le voyageur reprend le sac. C'est un sac de
plastique transparent, avec un fermoir à glissière,
du genre qu'on utilise pour conserver les aliments au réfrigérateur. Il s'assure qu'il est fermé
hermétiquement.

Le sac contient son portefeuille, son billet
d'avion, son passeport, la clé de la cabane qu'il a
louée pour une semaine. Et aussi, emprisonné
dans un autre sac semblable pour mieux le protéger de l'humidité et du sable, un sandwich au
jambon qu'il s'est confectionné et qu'il mangera
tout à l'heure.

Après un dernier coup d'œil derrière et
autour de lui, il met le sac et son contenu dans le
trou, les recouvre de sable, puis étend la serviette
par-dessus.

Nouvel examen de la plage, des buissons et
de la route. Toujours personne. Il peut aller nager
tranquille, sans risquer de rien se faire voler d'important. Il enlève son chapeau, va le suspendre
par son cordon à une aspérité de l'écorce du

cocotier le plus proche. Il retire son tee-shirt, le laisse tomber sur la serviette.

Mais, en relevant les yeux, il s'aperçoit qu'il n'est plus tout à fait seul.

Un chien le regarde. Un de ces chiens errants comme on en voit dans les pays pauvres. Il s'est arrêté devant lui et le regarde avec cet air pitoyable qu'ont développé tous les chiens errants dans tous les pays pauvres.

L'homme attend qu'il s'en aille. Mais le chien semble avoir décidé de rester. Il se cherche visiblement un maître, et celui-là en vaut sans doute un autre. Le chien a l'air de dire : « Voyez comme j'ai l'air gentil. Et si vous daignez seulement me regarder de temps en temps, peut-être aussi me caresser quelques instants ou mieux encore me gratter derrière les oreilles, je surveillerai vos affaires sur la plage et ailleurs, et jamais plus personne n'essaiera de vous voler quoi que ce soit sans y laisser une partie de son fond de culotte. »

L'homme, de son côté, observe le chien comme s'il voulait lui dire : « On ne me la fait pas, à moi. » Ce voyageur-là veut être libre. De tout. De tous. De toutes. Alors, pas question de sourire à un chien errant.

Ils s'examinent un bon moment. L'homme a vu des chiens plus vilains que celui-là, qui a des oreilles pointues et un pelage plutôt court, brun tirant sur le doré, avec une poitrine toute blanche, comme sa tête. Il est assez petit pour ne pas effrayer les innocents, quoique assez gros sans doute pour faire hésiter un malfaiteur. Mais ce n'est pas un chien. C'est une chienne. Le voyageur le constate quand elle se redresse, lève une patte, se lèche. Il ne saurait pas reconnaître un mâle d'une femelle rien qu'à lui regarder le derrière, mais il sait que seules les femelles ont des mamelles.

Il soupire. Il n'aime pas plus les chiennes que les chiens. Mâles ou femelles, ce sont des animaux auxquels il paraît qu'on s'attache si on a le malheur d'en avoir un. S'il en avait possédé un (ou une) avant son départ, il lui aurait été difficile de partir autour du monde. Il aurait fallu lui trouver un maître temporaire, puis, au retour, réhabituer l'animal à son nouvel ancien maître. Une immense perte d'énergie et de sentiments. C'est comme une maison. On s'attache à tout ce qu'on possède. Notre voyageur a un appartement loué, qu'il a sous-loué pour six mois à sa nièce. Et encore, il lui arrive parfois de regretter cette sous-location, car il pourrait rentrer chez lui quand il en aurait envie, au lieu d'être obligé de faire s'éterniser ce tour du monde qui a assez duré, si vous voulez son avis. Si ce n'avait été de la fille de son frère, il n'aurait pas été forcé de rester là ni même de s'y arrêter.

Où, là? vous demandez-vous. À Rarotonga. Raro quoi? demandez-vous encore. Ra-ro-ton-ga. Dans les îles de Cook, à presque trois mille kilomètres de la Nouvelle-Zélande.

À Singapour, quand notre voyageur a demandé un billet d'avion pour Los Angeles, on lui a proposé trois arrêts sans frais supplémentaires. Un obligatoire, à Auckland, ce qui était compréhensible puisqu'il achetait un billet des lignes aériennes de la Nouvelle-Zélande. Et deux à son choix. Il a opté pour Fidji, parce qu'il en avait entendu parler, et pour Rarotonga, parce qu'il ne savait pas que ça existait. Rien de plus agréable, pour un voyageur qui rentre dans son pays, que de raconter qu'il est allé quelque part sans que personne risque de dire « moi aussi ».

Le voilà donc, pour un jour encore, dans cette île qui semble être une espèce de protectorat de la Nouvelle-Zélande, puisqu'un petit navire de guerre arborant le pavillon néo-zélandais (une canonnière, peut-être, mais notre voyageur n'est pas très porté sur la marine militaire) est ancré dans le port. Il ne lui reste plus qu'un après-midi à passer sur cette plage, devant cette chienne qui commence à lui taper sur les nerfs.

Après s'être bien léchée, elle s'est couchée sur le côté. Comme si elle avait décidé de faire la sieste en sa compagnie. Mais notre voyageur n'aime pas plus la compagnie des animaux que celle des humains. Alors, du bout du pied, il lui lance un peu de sable. La chienne sursaute, relève la tête. Constatant que personne d'autre ne peut lui avoir lancé ce sable, elle repose son museau par terre.

L'homme s'assoit sur la serviette et reprend son livre, lit quelques lignes pour bien montrer à l'animal que celui-ci ne l'intéresse d'aucune manière. Mais il n'arrive pas à se concentrer. Il serait bien en peine de dire ce que raconte la demi-page qu'il vient de lire. Il relève les yeux.

Elle a avancé, la salope ! Pas de beaucoup, mais le voyageur serait prêt à jurer qu'elle a rampé sur quelques centimètres dans sa direction. C'en est trop. Cette fois, l'homme prend une pleine poignée de sable, la jette sur l'animal.

– Allez, ouste ! crie-t-il d'un air menaçant.

La chienne a compris. Elle se remet sur ses pattes, s'éloigne, va se chercher un maître ailleurs.

Satisfait, l'homme dépose son livre et se relève lui aussi. Il fait quelques pas et a les pieds dans l'eau.

Comme les autres jours, elle n'est ni fraîche ni chaude. La brise du large soulève des vaguelettes. Il s'avance encore, s'immerge, fait quelques mouvements de brasse, avant d'opter pour un crawl plutôt lent. Il doit sortir la tête de l'eau de temps à autre pour regarder où il va parce que, sans qu'il ait jamais compris pourquoi, il a tendance à tourner à droite en nageant. Il surveille le rivage pour s'assurer de ne pas s'en éloigner trop.

❏

Un coup d'œil à sa montre étanche : il a nagé une demi-heure. Ça suffit. Et puis la brise s'est transformée en vent et il arrive de plus en plus souvent que des vagues lui poussent de l'eau salée dans la bouche. Il revient à la plage. Sa serviette est toujours là, sauf que le vent l'a repliée sur elle-même. Il la replace comme il faut, s'étend, se laisse sécher au soleil. Pendant quelques minutes. Pas trop, car il a peur de brûler comme cela lui est arrivé une fois, en Inde. Et puis il commence à avoir un petit creux dans l'estomac.

Il replie la serviette sous ses fesses, plonge les mains dans le sable. Il ne trouve pas le sac tout de suite. Il agrandit le cercle de ses recherches. Ah! voilà quelque chose de dur! Non, ce n'est qu'un caillou. Il se redresse.

Misère! Il n'est pas du tout où il était tout à l'heure. Le vent a déplacé sa serviette. La preuve, c'est qu'elle est au soleil maintenant. Et que le cocotier qui lui faisait de l'ombre et qui sert toujours de patère à son chapeau est à une dizaine de mètres plus loin.

Eh bien! il n'y a plus qu'à aller chercher de ce côté-là.

L'endroit où il a enterré le sac est aisément repéré grâce aux nombreuses traces de pieds humains et de pattes canines.

L'homme se met à genoux, creuse à deux mains et avec une certaine fébrilité, parce qu'il ne tombe pas tout de suite sur le fameux sac — qu'il a enterré là justement parce qu'il ne peut pas se permettre d'en perdre le contenu. Il creuse au moins deux fois plus profondément qu'il n'a pu enterrer l'objet. Et sur une superficie qui fait au moins quatre fois celle de la serviette. Rien.

Il se relève, essuie ses genoux avec ses mains, s'efforce de considérer la chose froidement. Oui, ce ne peut être que ce cocotier-là, puisque son chapeau y est toujours suspendu. Et la serviette était bel et bien placée dans cet angle-là, à cette distance-là du cocotier. Il ratisse encore des dix doigts tout le sable qu'il vient de bouleverser. Toujours sans résultat.

Et l'inquiétude lui vient tout à coup, quand la perspective qu'il se refusait à envisager devient éminemment envisageable.

Il s'assoit, l'estomac noué, tente de réfléchir. Bon, à supposer qu'il ne retrouve pas le sac – ce qui n'est pas encore prouvé, mais supposons quand même, juste, pourrait-on dire, juste pour rigoler –, que peut-il faire ?

Le principal problème, c'est indiscutablement le passeport. Sans passeport, il ne peut pas quitter Rarotonga. New Zealand Airlines refusera de l'embarquer. Si on l'embarque malgré tout, les autorités fidjiennes ne le laisseront pas débarquer sur leurs îles. Elles ne sont pas, paraît-il, particulièrement xénophiles (n'ont-elles pas, il y a quelques années, annulé une élection démocratique qui avait choisi comme président un Fidjien d'origine indienne ?) Et si on tente de le faire descendre à sa destination suivante, Los Angeles, les autorités américaines (pas tellement enamourées des étrangers, elles non plus) lui

refuseront l'accès à leur pays. Si l'avion le ramène à Singapour, son point de départ, le voyageur risque d'y subir la bastonnade qui sert sans
doute de cérémonie d'accueil pour les étrangers
sans papiers ni argent.

Donc, il lui faut un nouveau passeport. Où se
trouve le consulat canadien le plus proche ?
Rarotonga ne compte que quelques milliers d'habitants. On n'a pas besoin d'un consulat
canadien pour si peu. Le consulat de la Nouvelle-
Zélande, alors ? Si Rarotonga est plus ou moins
une possession néo-zélandaise, puisque le dollar
rarotongais y a le même cours que le dollar néo-
zélandais, pourquoi y aurait-il ici un consulat
néo-zélandais ? Ou même français, chinois ou de
tout autre pays ? Rarotonga, c'est évident, est dépourvu de consulat et à plus forte raison d'am-
bassade. Peut-être pourrait-il téléphoner à celle
du Canada à Wellington, si c'est bien Wellington
qui est la capitale de la Nouvelle-Zélande. Délivre-
t-on par la poste ou par avion des passeports à
quiconque téléphone pour dire qu'il a perdu le
sien ? C'est douteux.

Mais à bien y penser, le passeport n'est pas
du tout le problème numéro un. Le numéro un,
comme toujours, c'est l'argent. Et l'homme n'a
plus un sou. Tout est dans le sac, avec le passeport. Pendant quelques jours, il a gardé dans sa
cabane, entre deux pages d'un exemplaire
défraîchi du *Monde selon Garp*, quelques dollars
rarotongais, au cas justement où il égarerait son

portefeuille ou se le ferait voler. Mais comme il
part demain et que le dollar rarotongais ne vaut
rien hors de Rarotonga, il a pris les derniers et les
a mis dans son sac comme sa carte Visa, en
espérant les dépenser pendant sa dernière journée dans l'île.

Avec de l'argent, il pourrait au moins téléphoner quelque part. Insister pour qu'on lui envoie les papiers dont il a besoin pour partir.
Rester quelques jours de plus, s'il le faut. Manger,
aussi, parce qu'un petit creux, en dépit de tous
ces soucis qui lui torturent l'esprit, lui triture
l'estomac.

Oui, avec de l'argent, tout finit par s'arranger.
Même les problèmes de passeport. Le seul ennui,
c'est qu'il n'en a pas.

En emprunter à Joe ?

Joe Il-a-oublié-son-nom-de-famille-même-qu'il-
n'est-pas-sûr-de-l'avoir-jamais-su est un petit vieux
qui habite en permanence une cabane mitoyenne
à celle qu'il a louée. Il est rarotongais. Vraisemblablement aborigène quasi pas métissé. Et c'est un
ancien combattant. Avant-hier, Joe l'a même invité
à prendre une bière au local de la Légion rarotongaise – un édifice sinistre, au bord de la mer mais
presque entièrement fermé, comme s'il était scandaleux de prendre une bière en admirant les flots.
Joe l'a laissé offrir deux tournées de bière tiède,
n'en a pas offert lui-même et notre voyageur est
parti de mauvaise humeur et sans faire trop d'efforts pour cacher qu'il l'était.

En réalité, il est impensable que Joe soit en mesure de lui prêter quelque argent. Et s'il l'était, il n'aurait aucune raison de le faire. Mais c'est le seul espoir auquel notre voyageur peut s'accrocher pour l'instant.

Tiens, la chienne est revenue. Elle s'est assise devant lui, se lèche les babines. Pendant un instant, notre homme a l'impression que l'animal sympathise avec lui. Il risque un sourire à son intention. Mais pas longtemps, parce qu'il vient de comprendre la cause de ses malheurs.

C'est la chienne ! Ce sale cabot a senti le jambon malgré la double pellicule plastique. Il a déplacé la serviette, a déterré le sac et il est parti avec. Il a dévoré le sandwich. Et peut-être aussi le passeport, le billet d'avion, les dollars rarotongais et la carte Visa. Les chiens des pays pauvres ont des appétits féroces et des estomacs en béton armé. Dans les îles grecques, à Santorin, l'homme a vu un chien malingre dévorer des ronces avec un bel appétit, même s'il les vomissait aussitôt.

Il examine la chienne. Oui, de chaque côté des babines, on dirait des miettes de pain. Cela ressemble aussi à du sable, mais ce pourrait fort bien être des miettes. D'autant plus que les chiens ont plus d'appétit pour le pain que pour le sable.

Une idée surgit : attraper l'animal, lui ouvrir le ventre et retrouver son passeport et sa Visa, qui sont sûrement plus longs à digérer qu'un sandwich et des billets de banque. Il amorce un mouvement. La chienne recule un peu, comme si elle devinait ses intentions.

De toute façon, elle peut se rassurer. Il est impossible d'attraper un chien à la course. L'homme n'a pas avec lui de couteau pour l'étriper. Et il est fort peu probable que la chienne ait avalé le passeport, la Visa et même le billet d'avion. Qu'est-ce qu'elle en a fait, alors ? Elle les a cachés. Ou abandonnés quelque part le long de la plage. De quel côté ? À droite ou à gauche ?

L'homme se lève. La chienne fait de même. Il espère qu'elle va le mener droit à son sac. Mais elle ne bouge pas. Elle attend que l'homme se mette en marche le premier et l'amène quelque part où il a enterré un autre de ses délicieux sandwichs au jambon.

Il fait mine d'aller d'un côté. La chienne le suit. Il ralentit, dans l'espoir qu'elle le dépassera. Elle suit toujours, quoique plus lentement. Dans le fond, il y a théoriquement une chance sur deux que le sac soit de ce côté-là. Aussi bien continuer.

La chienne s'est rapprochée de lui. L'homme daigne se pencher pour lui caresser la tête. Elle émet une espèce de glapissement, sans doute joyeux. Ils marchent côte à côte sur une centaine de mètres. L'homme scrute le sol, hâte le pas chaque fois qu'il aperçoit quelque chose qui pourrait ressembler vaguement à une partie du contenu de son sac. Mais bien avant qu'il ne soit rendu dessus, il s'aperçoit que ce n'est qu'un paquet de cigarettes vide ou une capote crevée.

La chienne s'arrête soudain. L'homme aussi.

Elle se met à aboyer furieusement et se lance dans les buissons. L'homme court derrière elle, contourne un énorme bouquet de bougainvillées et se retrouve devant non pas un mais cinq chiens, dont sa chienne quasiment à lui. Au moins deux ont une tête de pit-bull féroce et se disputent un bout de tissu qui, pendant un instant, peut faire illusion pour quiconque a perdu son passeport. Mais l'illusion ne dure pas. Le tissu est vert, pas bleu foncé comme les passeports canadiens.

L'homme hoche la tête. Les chiens lâchent leur chiffon et se tournent vers lui, qui recule de deux pas, prêt à fuir. Mais les chiens le regardent maintenant avec amitié plus qu'avec férocité.

Il fait le tour des buissons, regarde à terre, partout. Il ne trouve rien. Il retourne à la plage, puis à sa serviette, en traînant les pieds. Les chiens, tous les cinq, le suivent. Il est vraiment découragé et les chiens semblent partager son désespoir.

L'homme va au cocotier, prend son chapeau et se l'enfonce sur la tête. Il n'y a vraiment rien à faire. Tant qu'il fera jour, il cherchera son trésor. À la tombée de la nuit, il ira voir son ami Joe, l'appellera «Joe, mon ami», lui promettra de lui envoyer des tas d'argent dès qu'il sera rentré à la maison, s'il lui donne seulement un peu à manger.

Il se laisse tomber à genoux à plus d'un mètre de l'endroit où il est sûr qu'il a laissé son sac, parce que ça ne sert à rien de fouiller toujours au même endroit. Et il creuse. Un instant plus tard, il entend du bruit autour de lui. Il n'est plus seul à creuser. Cinq chiens creusent avec lui, de leurs griffes solides. Ils ont entrepris de mettre la plage sens dessus dessous. Et, si cet homme a envie de creuser jusqu'aux antipodes, ils lui ouvriront la voie.

Les chiens lui ont redonné du courage. L'homme a maintenant l'impression de diriger une mission de fouilles archéologiques. Comme c'est lui le patron, il examine la terre qui vole derrière les arrière-trains canins comme la neige à la sortie des souffleuses après une tempête de neige à Montréal.

Il n'y a rien. Quelques cailloux. Des coquillages. Un crabe terrorisé qui fonce de travers vers la mer.

— Laissez faire, les gars, c'est pas la peine.

Il en a vraiment assez. Si ses nouveaux amis avaient retrouvé ses affaires, il les aurait emmenés avec lui vers des cieux meilleurs où les chiens sont gras comme des voleurs. Mais ils n'ont rien trouvé et ne trouveront rien. Tant pis pour eux. Tant pis pour lui.

Le soleil va bientôt frôler les vagues au-dessus de l'horizon.

L'homme n'a même plus envie d'aller trouver le vieux Joe. Parce que cela ne donnera rien. Ou bien Joe ne sera pas là. Ou bien il n'aura pas un sou et ne connaîtra personne qui en ait quelques-uns.

Tout ce que le voyageur peut espérer, c'est survivre de mendicité dans un pays pauvre, ce qui n'est pas évident, en attendant de rencontrer un touriste canadien qui le prendra en pitié, ce qui n'est pas évident non plus. Combien de temps le propriétaire de sa cabane consentira-t-il à la lui laisser ? Pas longtemps, s'il arrive demain un autre touriste qui veut l'occuper.

Il est vrai que les nuits ne sont pas fraîches, ici, et on peut sûrement vivre longtemps sans logement. Mais il y a parfois des orages violents. Il faudra qu'il se réfugie sous une galerie. Peut-être y a-t-il des grottes dans les montagnes ? L'homme s'imagine troglodyte, non sans plaisir mais aussi avec quelques appréhensions. Un homme sans expérience de la vie primitive peut-il survivre ainsi plus de quelques jours, à se nourrir de noix et de fruits sauvages ? Plus il y réfléchit, plus il en doute.

À moins d'épouser une fille du lieu ? Il ne s'est jamais marié. Et il n'en a toujours aucune envie. Mais nécessité fait loi. Sans doute serait-il relativement aisé de trouver une vahiné qui accepterait de convoler en justes noces en échange de la citoyenneté canadienne. Par contre, sans passeport, comment prouver qu'il est canadien ? Ou même se marier, tout simplement ?

Devenir voleur ? Ouais. Il n'a jamais rien volé et doute d'être doué pour cette activité. Mais s'il le faut…

Soudain, la petite chienne brune et blanche se met à aboyer rageusement. Non : joyeusement.

A-t-elle enfin trouvé ses affaires ? Pas du tout. C'est quelqu'un qui s'approche sur la plage. À contre-jour dans le soleil couchant, il est difficile de savoir si c'est un adulte ou un enfant. Mais à mesure qu'il approche, on distingue un garçon polynésien de dix ans à peine. Il a quelque chose à la main. C'est un sandwich dans un sac de plastique. « Mon sandwich à moi ! » constate l'homme qui a envie de crier au voleur. Mais le garçon vient à lui, s'arrête.

— C'est votre sandwich ? demande le garçon en anglais avec un fort accent polynésien raro-tongais.

L'étranger hoche la tête. Le garçon lui tend le sandwich.

L'homme s'en empare, ouvre le sac, prend une bouchée comme pour se prouver à lui-même ainsi qu'à tous les garçons et à tous les chiens du monde que ce sandwich-là est bien le sien, puis-qu'il en reconnaît l'aspect et le goût.

Le garçon reste là, debout devant lui. Le voya-geur avale une deuxième bouchée. Puis une ques-tion lui vient à l'esprit :

— Comment savais-tu que c'était mon sand-wich ?

— La photo.

L'homme fronce les sourcils.

— Dans le passeport, précise le garçon.

Là, le cœur de l'homme se remet à battre follement, plein d'espoir.

— Où l'as-tu vu ?

– Mon chien a trouvé un sac, avec une clé et un portefeuille.

– Il y avait un billet d'avion ? des papiers avec New Zealand Airlines écrit dessus ?

– Oui. Je suis allé porter tout ça à la police. Ils m'ont dit de garder le sandwich parce qu'il allait se perdre. Je voulais le donner à ma grand-mère.

L'homme prend une autre bouchée. Le sandwich a entièrement disparu.

– Où ch'est, le poche de poliche ? demande-t-il.

– C'est par là, au bout de la plage. Vous ne pouvez pas vous tromper, c'est écrit Police.

Le voyageur ramasse sa serviette et son livre, glisse ses pieds dans ses sandales. Il faut qu'il se hâte. Il n'a aucune idée de l'heure à laquelle ferment les postes de police par ici. Peut-être au coucher du soleil ?

– Merci. Comment t'appelles-tu ?

– Sam.

L'homme met la main dans la poche du maillot de bain qui lui sert de short. Il est bête : il n'a ni monnaie ni portefeuille. Rien à donner en récompense. Sa montre ? Non : elle vaut bien trop cher. D'autant plus qu'on lui a dit qu'être trop généreux envers les enfants dans les pays pauvres les rend dangereusement dépendants du tourisme.

– Merci, dit-il encore en tapotant la tête du garçon. Merci à toi aussi.

Il caresse la tête de la chienne brune et blanche.

— Merci, tout le monde, lance-t-il aux autres chiens.

Et il se met à courir sur la plage, en direction du soleil couchant et du poste de police.

Ce soir, il va fêter. Fêter quoi ? Le portefeuille, le passeport et la sérénité retrouvés. Rien ne se célèbre plus allègrement que la disparition du désespoir. Où faire la fête ? À la Légion rarotongaise, sans doute. À moins qu'elle ne soit interdite à quiconque n'est pas accompagné d'un ancien combattant rarotongais. Dans ce cas, il ira chercher le vieux Joe. Et il lui paiera toutes les bières dont il aura envie.

« Disons quatre », se ravise le voyageur en songeant au prix de la bière à Rarotonga.

Première publication :
collectif *Récits de la fête*,
Québec Amérique, 2000.

Blanc comme neige

Pascal est vraiment le dernier des imbéciles. Le voilà étendu de tout son long dans la neige, sur le trottoir. Je lui avais pourtant dit de faire attention en descendant l'escalier avec les bras chargés.

Il s'agit d'un de ces escaliers extérieurs qui sont, paraît-il, la seule particularité architecturale de Montréal. Ils auraient été inventés parce que les lotissements étaient très étroits (ce qui limitait les coûts des canalisations de gaz, d'eau et d'électricité). Des escaliers intérieurs auraient réduit le nombre de fenêtres au rez-de-chaussée, où les propriétaires étaient généralement installés. On a donc construit à l'extérieur les escaliers pour atteindre les logements des étages supérieurs, quitte à constituer, dans cette ville de neige et de glace, un danger mortel pour les locataires.

Encore heureux qu'avant d'aller me coucher j'aie eu l'idée de regarder s'il neigeait toujours autant que la météo l'avait prédit. Oui : il neige à gros flocons si nombreux qu'ils m'empêchent de voir les bâtiments de l'autre côté de la rue. Je pourrais presque penser que ce n'est pas Pascal qui est là, mais un monticule de neige accumulé par le vent.

Espérons qu'il a seulement perdu conscience et qu'il ne s'est pas blessé au point de me forcer à passer toute la nuit avec lui dans la salle d'attente des urgences d'un hôpital.

Je mets mon blouson et mes gants. Je sors et je descends les marches prudemment, en m'agrippant aux deux rampes. Ça ne donnerait rien que nous soyons deux à nous être cassé la gueule.

Pascal a saigné, mais pas beaucoup. À côté de sa tête, une flaque de sang rosé achève de disparaître sous les épais flocons qui ne cessent de s'accumuler. J'aperçois aussi les bosses neigeuses rectangulaires que forment les trois albums de photos qu'il emportait et qui sont responsables de sa chute puisqu'ils l'empêchaient de tenir la rampe.

Je me penche vers lui. Je le retourne sur le dos. Son visage est recouvert du sang coagulé qui a coulé de son nez. Nez cassé, je dirais, bien que mes connaissances médicales soient plutôt limitées. En tout cas, ça va lui prendre un sacré pansement. Avec une tête pareille, ce n'est pas demain qu'il va me trouver un successeur.

Je relève la manche de son manteau et je tâte son poignet. Je ne trouve aucune pulsation. Peut-être suis-je trop nul pour prendre un pouls cor-

rectement ? Mais je commence plutôt à soupçonner que mon ex est passé de vie à trépas.

Pas la peine de me mettre à pleurer. S'il fallait
que je fasse un drame chaque fois qu'un de mes
anciens amants meurt, du sida ou d'autre chose,
je ferais la fortune des fabricants de mouchoirs de
papier.

Je remonte chez moi. Je vais composer le 911
pour demander qu'on envoie l'ambulance ou la
morgue. C'est à eux de décider. Moi, je dirais la
morgue, mais ils se passeront peut-être de mon
avis.

J'enlève mes gants. Je fais le 9, ensuite le 1,
puis je raccroche. Il y a un os auquel je viens de
penser. Un gros os, même. Tout le monde sait
que j'ai une sacrée bonne raison de souhaiter la
mort de Pascal : six millions de dollars – canadiens, mais dollars tout de même.

Laissez-moi vous expliquer comment un type
comme lui a réussi à se procurer une fortune
pareille.

Il habitait chez moi, vous l'avez deviné.
Toutes les semaines, il achetait deux numéros de
Lotto 6/49 à un dollar chacun. Nous partagions le
coût, puisque nous devions aussi partager les
gains éventuels. Et Pascal n'oubliait jamais de
me réclamer mon dollar hebdomadaire avant le
tirage.

Le mois dernier, il a fallu que j'aille passer
quelques jours à Détroit. Je suis rédacteur dans une
agence de publicité et il arrive qu'un lancement

de produit me force à travailler là-bas pendant quelque temps. L'été prochain, General Motors va sortir un nouveau modèle qui va complètement bouleverser vos préjugés au sujet de ce fabricant d'automobiles, mais je ne peux pas vous en dire plus parce que j'ai juré (oui, oui, sur l'Évangile!) de garder le secret. Sans me consulter, Pascal a pris pour un seul dollar de 6/49, sous prétexte que je n'étais pas là pour payer ma part.

Vous ne croirez pas la suite : il a gagné le gros lot! Six millions deux cent mille dollars et des poussières. Ou plutôt nous avons gagné, puisqu'il était entendu que nous partagerions tout gain éventuel, et à plus forte raison le gros lot. Mais Pascal a eu le culot de me refuser ma part. À mon retour de Détroit, il avait déjà quitté mon logement de la rue Garnier, où il logeait depuis deux ans. Sans laisser d'adresse ou le moindre mot d'adieu. Il est vrai que notre couple battait de l'aile depuis quelques mois. Pascal est comptable, rangé et fidèle. Moi, je suis plutôt le contraire.

J'ai vu sa photo dans le journal, prise quand il a reçu son chèque format géant des mains du président de Loto-Québec. Une photo ridicule, mais je suppose qu'on ne lui a pas donné le choix. Entre six millions avec une photo et pas un sou sans photo, personne n'hésite longtemps.

Je suis allé raconter notre histoire au chef du contentieux de Loto-Québec. Rien à faire. Pascal avait le billet avec le bon numéro et affirmait en être le seul propriétaire. Nous n'avions signé aucun document m'assurant la moitié des gains. Il était donc le seul gagnant et moi, le grand perdant.

Pour emmerder Pascal qui travaille dans une institution financière importante, j'ai alerté les médias. J'ai des copains au *Journal de Montréal* qui ont trouvé mon histoire assez juteuse pour me donner un coin de la première page : « Baisé de trois millions par son conjoint ! » La page deux racontait tout comme je vous l'ai raconté.

Deux jours plus tard, Pascal sortait sa version à lui. Pas seulement dans le *Journal de Montréal*, mais aussi dans des lettres ouvertes à *La Presse* et au *Devoir*. Pour prouver son honnêteté à ses patrons et à l'univers, il rappelait la fois précédente où je m'étais absenté. À mon retour, il m'avait réclamé mon dollar pour la loterie. Je lui avais demandé si nous avions gagné. « Non. Pourquoi ? » J'ai refusé de payer mon dollar, bien entendu, comme vous auriez fait à ma place si vous n'êtes pas le dernier des imbéciles.

Je parie que vous êtes en train de penser : « Bien fait pour lui ». C'est-à-dire : pour moi.

Ce n'est pas du tout la même chose ! Si on refuse de payer un dollar, c'est une plaisanterie sans conséquence, au pire une mesquinerie minuscule. Mais refuser trois millions à son amant ou ex-amant sous prétexte qu'il n'a pas payé un petit dollar de rien du tout, c'est du vol de grand chemin !

Ce soir, malgré la neige qui tombe depuis le début de l'après-midi, Pascal est arrivé un peu avant minuit. Il avait toujours la clé et espérait que je ne serais pas là, parce que je sors tous les soirs sauf le dimanche. Mais la météo nous annonçait la pire tempête de l'hiver. Je suis resté à la maison. De toute façon, je n'aurai aucune difficulté à remplacer Pascal. Pourquoi me hâter à courir les bars gay ?

Il m'a dit qu'il venait seulement chercher ses albums de photos, qu'il avait oubliés au fond d'un placard. Je lui ai offert un café. Il a accepté. Je lui ai fait un cappuccino comme il les aime. Il s'est assis au salon.

Nous avons parlé. Pas d'argent ni de loterie. De décoration. Pour l'instant, il loge à l'hôtel, mais il vient de faire une offre d'achat pour un appartement avec vue sur le mont Royal et il hésite entre le vert forêt et le vieux rose pour la salle de bains attenante à la chambre à coucher. Il m'a montré les échantillons de couleurs. C'est impossible de décider tant qu'on n'a pas vu sur place. Je lui ai quand même conseillé le vert. Je connais ses goûts.

Notre conversation, sans être amicale ni, à plus forte raison, amoureuse, n'était pas du tout hostile.

Pascal est un charmant garçon, timide, gentil et sympathique même s'il lui arrive d'être radin. Il est difficile de rester fâché avec lui. En plus, je commençais à penser que, quand on connaît quelqu'un qui possède six millions de dollars, il peut être avantageux de ne pas le perdre de vue.

J'ai donc fait comme si son amitié m'importait plus que ses millions.

Quand il eut terminé sa tasse de café, Pascal s'est levé et il a dit : « Donne-moi un dollar. »

Je me suis levé moi aussi, j'ai fouillé dans ma poche, je lui ai tendu une pièce. Quand on connaît un millionnaire, lui prêter un dollar peut constituer un excellent investissement. Il prévoyait peut-être se garer devant un parcmètre le lendemain ? Pascal est le genre à éviter les contraventions, même s'il possède maintenant de quoi en payer des centaines tous les jours. Les comptables, c'est comme ça : chaque dollar compte pour eux.

Il a souri gentiment en mettant la pièce dans sa poche.

J'ai compris sans qu'il le dise : ce dollar, c'était celui que j'aurais dû lui donner pour participer à la loterie. S'il me le demandait, cela ne pouvait signifier qu'une chose : il me rendait en échange ma part du gros lot, comme si j'avais payé à temps ma moitié du billet gagnant. Je devenais millionnaire moi aussi !

« De toute façon, je peux vivre très bien avec rien que trois millions », a-t-il précisé au cas où je n'aurais pas parfaitement saisi.

J'ai ouvert les bras et nous nous sommes embrassés. Tendrement. Pas sur la bouche. L'un comme l'autre, nous savions qu'il y avait quelque chose de brisé, que rien ne serait plus jamais comme avant et que c'était mieux comme ça. Nous avions trois millions chacun et aucun besoin de mettre nos fortunes en commun.

Je lui ai quand même offert de rester pour la nuit. Il a simplement mis son manteau et sa casquette et il est sorti avec ses albums de photos. Je lui ai dit de faire attention dans l'escalier.

❏

Il est deux heures du matin et je viens de raccrocher le téléphone après n'avoir fait que le 9 et le premier 1. Je ne peux pas appeler la police, parce qu'on va me soupçonner d'avoir poussé Pascal dans l'escalier.

Depuis les articles dans les journaux, tout le monde sait que nous étions à couteaux tirés. Et personne ne peut imaginer que nous venons de régler notre affaire à l'amiable. En tout cas, personne ne croira que Pascal m'a donné la moitié de son gros lot sans y être forcé.

Le pire, c'est qu'il y a plus que trois millions en jeu. Laissez-moi vous expliquer comment.

Je ne pense pas que Pascal ait eu le temps de changer son testament. Quand il a déménagé chez moi, j'ai insisté pour que nous fassions chacun le nôtre. Mon dernier amant était mort d'une overdose en ne me laissant qu'un paquet de linge sale. Pascal et moi, nous nous donnions tout, l'un à l'autre. Lui, il avait un peu d'argent. Un reste d'héritage, je suppose. Moi, je n'avais rien. Mais il est juste que, quand on partage la vie de quelqu'un, on partage aussi ses sous après sa mort.

Donc, j'aurai bientôt six millions de dollars, moitié en héritage et moitié parce que Pascal vient de reconnaître que cette part m'appartient. À première vue, je ne suis pas fâché qu'il soit mort. Quoi qu'il en pense, on vit mieux avec six millions qu'avec trois. Mais qu'il s'agisse de trois millions ou de six, quiconque a lu dans le journal que Pascal voulait tout garder pour lui verra là un excellent mobile de meurtre. Sans bien connaître la loi, je ne serais pas étonné qu'elle empêche les assassins d'hériter de la fortune de leurs victimes...

Pascal est étendu de tout son long en travers du trottoir. Il est évident qu'il a fait une chute en sortant de chez moi. Mais il est aussi évident qu'il aurait pu être poussé d'en haut. Sans que ce soit un meurtre prémédité, j'aurais pu lui donner une petite poussée, sous l'effet de la colère. Ce qui est encore plus évident, c'est que la police va m'interroger pendant des heures. Est-ce que je serais capable de ne pas avouer, même si je suis blanc comme neige ? Je n'en suis pas sûr. J'ai une tête de menteur, tout le monde vous le dira. C'est le métier qui fait ça. Cuisiné par des policiers brutaux ou rusés – il en existe des deux espèces –, je sais que je vais craquer. Après quelques heures sans café, sans cigarettes, sans eau, je vais avouer n'importe quoi.

Si je suis accusé de meurtre, on va sûrement
m'empêcher de toucher mes millions. D'autant
plus que, même si je gagne beaucoup d'argent, je
n'en ai pas. Je n'y peux rien, je suis comme ça. Je
ne suis pas comptable, moi. On va me désigner
d'office un avocat, probablement un incompé-
tent qui en sera à son premier procès au criminel.
Il y a donc de bonnes chances qu'en plus de
renoncer au gros lot, je sois forcé de passer les
prochaines années en prison.

Pas question de téléphoner au 911.

Pascal est là, au pied de l'escalier, devant chez
moi, avec mes traces de pas tout autour. Qui va
me croire quand je vais jurer que je ne l'ai même
pas vu tomber ? Y a-t-il à Montréal douze personnes assez naïves pour imaginer que j'aurais
pu ne pas le tuer ? Si je faisais partie du jury, je
serais le premier à me juger coupable !

Je n'ai pas le choix. Pour maquiller cet accident pas évident en accident évident, il faut que
j'aille porter le corps quelque part où on ne
pourra pas me soupçonner de l'avoir tué. Il faut
qu'il soit mort ailleurs, d'un accident de voiture,
par exemple.

De toute façon, il est temps que j'enlève
Pascal de devant mon escalier. Il est tard et il faut
être fou pour ne pas rester à la maison par un
temps pareil, mais on ne sait jamais.

Je remets mes gants, je ressors. La bourrasque
est plus forte que tout à l'heure. Le vent s'est mis
de la partie et les gros flocons qui tombaient

gentiment, comme dans un film tourné en studio à Hollywood, se sont transformés en grains glacés qui fouettent le visage. La fille de la météo avait raison : c'est la pire tempête de l'hiver.

La Jetta de Pascal est garée dans la rue, juste un peu plus haut. Je vais rouler jusqu'au canal Lachine. Je vais mettre Pascal au volant et pousser la voiture dans le canal si la glace n'a pas l'air trop épaisse. Tout le monde fait ça. De temps en temps, au printemps, ils vident le canal désaffecté pour faire le ménage. Chaque fois, ils trouvent plusieurs voitures, souvent avec des cadavres dedans.

Non, je ne peux pas faire ça. Il faut que le cadavre de Pascal soit récupéré rapidement, pas dans six mois, sinon je vais attendre mon héritage longtemps. Je n'ai jamais étudié les lois de notre beau pays, mais je parie qu'il y en a une qui interdit de distribuer l'héritage d'un individu tant qu'on n'a pas retrouvé son corps, au cas où il ne serait pas mort et reviendrait demander où est passée sa fortune. Il faut absolument qu'on découvre Pascal sans trop tarder.

Je pourrais simuler un accident contre un poteau ou une voiture, mais la Jetta est équipée d'un coussin gonflable qui va se déployer sous le choc. Difficile, dans ces conditions, de justifier un nez cassé.

Finalement, je vais simplement laisser Pascal au volant, dans une rue pas trop proche, où les employés de la ville ont déjà posé les panonceaux annonçant le déneigement. D'ici quelques heures, les préposés à l'enlèvement des voitures vont trouver cette Jetta. Avant de la remorquer, ils vont bien voir qu'il y a quelqu'un dedans. Ils vont essayer de le réveiller et constateront qu'il est mort. Cela n'expliquera pas qu'il soit décédé d'une fracture du crâne (ce pourrait être ça) sans que sa voiture soit abîmée. Au moins, il ne sera pas mort devant chez moi. Et puis, un type qui a gagné des millions et qui a eu sa photo dans les journaux, il y a des tas d'individus qui ont envie de le tuer d'un coup de madrier sur le nez, au cas où il aurait de l'argent dans ses poches.

Je me penche sur son corps. Je prends son poignet et je vérifie son pouls une dernière fois, parce que ce serait trop bête qu'il soit encore vivant. Je ne sens toujours rien. Pas le moindre cœur qui bat. Je pourrais monter chercher un petit miroir et le lui mettre sous le nez pour voir s'il respire encore. Dans les films, ils font ça. Mais est-ce que ça fonctionne dans la neige et le froid ? Et puis je n'ai pas de temps à perdre : des gens risquent de passer même si je ne vois personne.

Je saisis les deux mains de Pascal et je le traîne jusqu'à sa voiture. Ce qu'il y a de bien, avec la neige, c'est qu'il est facile d'y traîner un cadavre. En plus, Pascal est petit et léger. Je le saisis sous les aisselles et je le redresse contre la portière arrière de la Jetta. Il doit commencer à raidir, puisqu'il accepte de rester debout, la tête appuyée sur le toit.

Je fouille les poches de son manteau. Je trouve les clés, j'ouvre la portière du passager avant. La neige s'engouffre à l'intérieur et j'essaie de forcer Pascal à la suivre. Cette fois, il se montre moins coopératif. Le haut de son corps accepte de s'écrouler sur le siège. Mais les jambes s'obstinent à rester à l'extérieur. Je fais le tour de la voiture, j'ouvre l'autre portière, je tire Pascal par le col de son manteau. Le voilà entièrement à l'intérieur, maintenant. Je retourne de l'autre côté. Je réussis à replier ses jambes, puis à le redresser sur son dossier. Je ferme la portière.

Je m'installe au volant. Où est sa casquette ? Par terre, à mes pieds. Je la secoue et la lui mets sur la tête. Voilà. On jurerait que j'ai un passager tout à fait vivant. Endormi, peut-être. Plus probablement saoul.

Ah oui, les photos ! J'allais les oublier. Je retourne sur mes pas. Les albums sont toujours là. Je les ramasse, je remonte l'escalier et je les laisse dans le vestibule.

En redescendant, je me hâte trop et je passe à un doigt de me rompre le cou. Je rattrape la rampe juste à temps. Ouf !

❏

La Jetta démarre docilement. Je roule lentement vers le nord, dans la rue Garnier. Ce n'est pas le moment d'avoir un accident. Surtout que je ne conduis pas souvent, parce que je n'ai plus de voiture.

Dans mon quartier, le Plateau-Mont-Royal, une voiture, c'est plus embêtant qu'utile, surtout en hiver, pendant les tempêtes de neige. Vous vous levez le matin, vous seriez prêt à vous rendre au bureau à pied, mais il y a sur les poteaux des panonceaux annonçant que le stationnement est interdit pour cause de déneigement. Vous passez une heure à dégager votre voiture. Puis vous tournez en rond dans le quartier, à la recherche d'une place libre. Il n'y en a pas, puisque le stationnement est interdit dans une rue sur deux. Vous trouvez une place trois rues plus loin, vous y laissez la voiture et vous allez travailler en taxi parce que tout ça vous a mis en retard. Quand vous rentrez le soir, vous ne vous rappelez plus où vous avez laissé cette damnée bagnole et vous perdez une heure à la retrouver. Et ensuite, une heure encore à chercher une place où la garer plus près de chez vous. Dès que Pascal a déménagé chez moi, j'ai vendu ma Camaro.

Je sais toujours conduire, ça ne s'oublie pas. Mais il y a deux ans que je n'ai pas roulé dans la neige. Il y en a déjà beaucoup et il ne cesse d'en tomber. Cela ressemble de plus en plus non pas à la tempête de l'année, mais à celle de la décennie.

Heureusement, personne d'autre que moi n'est assez tordu pour circuler dans les rues du quartier par un temps pareil. Et je retrouve rapidement la seule bonne manière de conduire dans la neige : manœuvrer l'accélérateur, le volant et les freins avec la plus grande douceur. De toute façon, je ne vais pas très loin. Je tourne à gauche à la rue Saint-Grégoire. L'arrière de la voiture dérape et va s'appuyer contre une Cherokee garée le long du trottoir.

Je ne crois pas qu'il y ait des dommages. Un peu de peinture égratignée, c'est tout. Pas la peine de m'arrêter. Je continue jusqu'à la rue Saint-Hubert, que je prends à gauche.

Je suis déjà assez loin pour qu'on n'imagine pas que Pascal sort de chez moi. Je cherche une rue où les panonceaux de déneigement sont installés. Il faut de bons yeux pour les voir. Autrefois, ils plantaient dans la neige de gros panneaux en bois. Maintenant, ce sont de tout petits panneaux de métal qu'ils suspendent aux poteaux.

J'ai beau regarder, il n'y en a nulle part. Quand on cherche où se garer juste après une tempête de neige, il y en a toujours plein. Mais, cette nuit, pas un.

Je prends à droite sur l'avenue du Mont-Royal. Toujours rien. Je me rends compte de mon erreur : les employés de la ville ne mettent pas les interdictions de stationnement tant que la neige n'a pas fini de tomber. Pourquoi la ramasser alors qu'il en tombe encore des masses ? Pour l'instant, les chasse-neige se contentent de pousser la neige sur les côtés de la chaussée. Ainsi, on a l'impression qu'on peut rouler facilement dans la ville. Sauf qu'on ne peut aller nulle part, puisqu'il n'y a aucune place où se garer.

Tiens, là, juste devant, des places libres. Je me colle contre le trottoir. C'est un arrêt d'autobus. Ça me va très bien.

Je retire la clé du démarreur. Mais, avant de sortir de la Jetta, je songe que je suis à dix ou quinze minutes de marche de chez moi. Supposons que des agents de police arrivent en voiture dans quelques instants, avisent ce véhicule garé illégalement, essaient d'attirer l'attention du type au volant, se rendent compte qu'il est mort, trouvent son permis de conduire dans son portefeuille, se pointent chez moi parce que Pascal n'a pas eu le temps de s'occuper de son changement d'adresse, et me cueillent à mon arrivée. À moins qu'ils ne suivent tout simplement les traces de mes pas dans la neige. Ce ne sera pas facile d'expliquer pourquoi j'ai abandonné dans sa voiture mon ex-conjoint décédé de mort violente.

Tout ça pour dire qu'il faut qu'on retrouve Pascal dans les jours qui viennent, mais pas trop tôt quand même.

Je remets la voiture en marche. J'arrive à l'avenue du Parc. Du moins, il me semble que c'est l'avenue du Parc. On voit très bien les lampadaires, mais ils ne font qu'éclairer la neige qui tombe autour.

Oui, c'est l'avenue du Parc, avec la station-service à ma droite. Ici, on dirait que la tempête

déferle depuis le sommet du mont Royal, devant
moi.

Un peu imprudemment, je monte la voie
Camillien-Houde qui zigzague dans la montagne.
La chaussée a été dégagée récemment, puisque ça
grimpe moins difficilement que je ne m'y attendais. Il faut dire que je suis redevenu un champion de la conduite dans la neige. Même si vous
passez deux ans aux Bahamas, vous allez redevenir en cinq minutes un as de la conduite hiver-
nale si vous en étiez un auparavant. C'est comme
rouler à vélo : une fois qu'on a su, on sait toujours.

Je ne vois rien devant, mais j'avance. Un peu
crispé, je le reconnais, avec le menton appuyé
sur le volant, comme si d'être plus près du pare-
brise pouvait m'aider à voir plus loin.

Au rond-point du sommet du mont Royal, je
prends à gauche pour faire demi-tour. Il m'est
venu à l'idée que le belvédère au flanc de la
montagne serait l'endroit idéal pour y abandonner une voiture avec un corps dedans. Personne
ne va faire attention, avant demain ou même
avant deux ou trois jours, à une voiture garée là.
Il y a des milliers de rues à déneiger avant de
s'occuper d'un stationnement fréquenté par
quelques touristes et des couples d'amoureux.

Catastrophe ! Là non plus, pas une place
libre. Il y a une trentaine de voitures dont le moteur tourne puisqu'on aperçoit les volutes de
fumée d'échappement. Pourtant, on ne voit rien
du côté de la ville, si magnifiquement illuminée

quand l'horizon n'est pas bouché par un mur de neige.

Qu'est-ce que ces gens-là font dans leur voiture à cet endroit-là, vous pensez? Oui, vous avez trouvé. Vraiment, il faut avoir la libido hyperactive pour venir baiser ici par un temps pareil.

Tant pis. Je redescends vers l'avenue du Mont-Royal. Je prends l'avenue du Parc en direction du centre de la ville. Ici, il y a de puissants lampadaires halogènes qui donnent à la neige qui tombe une teinte jaunâtre qui n'est pas du meilleur goût, si vous voulez mon avis.

J'aperçois des feux de circulation qui tournent au rouge devant moi. Ce doit être ceux qui permettent aux piétons de traverser les huit voies de l'avenue en face du monument de George-Étienne Cartier, au pied de la montagne. J'arrête ou je continue?

En citoyen d'autant plus respectueux des lois que j'ai un cadavre à bord, je mets le pied sur le frein, mais la voiture décide de ne pas s'arrêter. Et qu'est-ce que je vois, juste au bout du capot de la voiture? Un coureur en survêtement. Oui, un de ces fous du jogging qui vont courir sur le mont Royal même en pleine nuit et en plein hiver.

Il y a un choc. Pas très bruyant. Je n'ai même rien entendu du tout. Mais c'était une collision, j'en suis sûr. Qu'est-ce que je fais?

Un cadavre, ça me suffit. J'appuie juste un peu sur l'accélérateur et la voiture accepte de continuer en ligne à peu près droite.

« Au secours ! »

J'ai entendu une voix qui appelait à l'aide. Une voix de femme. Qui se fait sans doute violer quelque part, tout près. Les violeurs montréalais ne craignent pas plus la neige que nos joggeurs.

Je ne vais pas m'arrêter. J'ai assez de problèmes comme ça et je ne suis pas très doué pour jouer les héros. Je négocie le viaduc qui m'amène à gauche, sur l'avenue des Pins. On dirait qu'il n'est pas passé ici un chasse-neige depuis au moins dix hivers. Heureusement, Pascal était un garçon très prudent, qui s'obstinait à utiliser des pneus à neige en hiver même s'il ne roulait qu'en ville.

Alors, voilà, je passe. Je deviens même étonnamment habile pour conduire sur les chaussées glissantes. Encore meilleur qu'il y a deux ans.

« À l'aide ! »

Une autre femme qui se fait violer ? Celle-là non plus n'est pas mon problème.

« Arrêtez ! »

Soyez gentil : dites-moi que ça ne se peut pas, que je fais un cauchemar horrible et que cette voix de femme ne vient pas de dessous la voiture.

À la première intersection, je me range à droite, je stoppe. Je tends l'oreille. Rien. J'ai dû rêver. Ou c'est le vent qui soufflait en imitant une voix de femme.

« Au secours ! »

Malédiction ! Ça vient vraiment d'en dessous. Impossible de me tromper.

Je laisse le moteur tourner et je sors. Je me penche. J'écarte la neige pour voir sous la carrosserie. Oui, il y a là une masse qui n'a pas d'affaire là. Un corps, mais pas mort puisqu'il dit encore : « Au secours ! »

Je parie que c'est mon joggeur. Ou plutôt ma joggeuse, qui est tombée sous la voiture. Ses vêtements se sont accrochés dans je ne sais trop quoi – le tuyau d'échappement, peut-être. L'idiote ! On n'a pas idée d'aller courir pendant la pire tempête de la décennie. Sinon du siècle.

Qu'est-ce que je fais ? Je n'ai pas le choix : il faut que je la sorte de là. Je ne peux pas me permettre de me balader avec une femme blessée qui appelle à l'aide de sous la voiture.

Je m'étends à plat ventre dans la neige. J'allonge le bras, je saisis un bout de vêtement, je tire. Je l'échappe. Je demande : « Comment ça va ? » Pas de réponse. Plus aucun appel au secours.

J'ai une idée. Je remonte au volant, j'embraye, j'appuie sur l'accélérateur, j'avance de quelques mètres, puis je freine brusquement. Avec un peu de chance, le corps de la femme aura pris de la vitesse et sera sorti à l'avant. Mais je n'ai pas pu accélérer beaucoup, ni freiner assez sèchement avec toute cette neige. Je vais voir à l'avant : pas de corps. Je regarde en dessous : il est toujours là.

J'ai une autre idée. J'essaie la même manœuvre en marche arrière. Miracle ! Le corps est décoincé et se retrouve enfin à l'avant de la voiture.

Je ressors, je me penche. Elle a l'air tout à fait morte, enfin. Je ne peux rien pour elle. Je me relève.

« Avez-vous besoin d'aide ? »

Les Montréalais sont tous cinglés ! Cette fois, c'est un cycliste qui me parle. Je comprends les livreurs à vélo qui frôlent la mort dans les tempêtes de neige parce qu'il faut bien qu'ils gagnent leur vie. Mais celui-là n'est quand même pas en train de livrer des colis au milieu de la nuit. Par contre, une forte odeur de bière se dégage de son haleine. Je parie qu'il a commencé à boire avant la tempête. Il est sorti d'un bar et rentre chez lui sur son vélo, convaincu qu'il existe un bon Dieu pour les ivrognes à deux roues.

Qu'est-ce que je lui dis ? « C'est une amie. Elle est saoule, je la ramène chez elle. »

Le cycliste reste là, à côté de son vélo, les deux mains sur le guidon. Je n'ai pas le choix : il faut que je fasse comme si c'était une amie qui s'est saoulée en survêtement de jogging et que je ramène chez elle. Je la remets sur pied. Elle est encore plus légère que Pascal. Le cycliste tend le bras, m'ouvre la portière arrière.

— Merci, je dis en poussant la femme à l'intérieur.

Le cycliste enfourche son vélo et repart dans la nuit. Il ne roule pas du tout en ligne droite, mais roule tout de même et disparaît rapidement de ma vue.

Au moins, la femme n'est pas morte, puis-qu'elle dit quelque chose. Je ne comprends pas. Elle reprend : « Amenez-moi à Saint-Luc, c'est là que je travaille. »

Une infirmière, donc. Qui venait de terminer son quart de travail. Ou qui allait le commencer après son petit jogging extrêmement matinal. Il y a des gens qui sont prêts à se faire tuer pour vivre en santé.

— On y va, je dis, sans être trop sûr que c'est là qu'on va aller.

Je reprends le volant. Je n'ai pas le temps de passer la première que des phares puissants, derrière moi, éclairent soudain l'intérieur de la voiture. Très hauts, les phares. Je me retourne. Je suis aveuglé par la lumière. Attention ! C'est un chasse-neige qui va me rentrer dedans. Non, j'ai de la chance. Le conducteur vient de m'aper-cevoir et fait un crochet pour m'éviter.

Ça tombe bien, ça : je vais le suivre. C'est une immense niveleuse, haute sur roues, qui gagne sa vie l'été sur les routes en construction et l'hiver à chasser la neige en ville.

J'ai un peu de mal à traverser le parapet de neige qu'elle vient de pousser de mon côté, mais j'y arrive.

Je réussis à la rejoindre et à ne pas la lâcher. Nous roulons lentement. Je me sens en relative sécurité derrière l'engin qui m'ouvre le chemin. Je traverse ce que je suppose être la rue Saint-Urbain, puis le boulevard Saint-Laurent.

En fait, ça va très bien comme ça. Mais je sais que l'avenue des Pins s'arrête tout près, à la rue Saint-Denis. Le chasse-neige va-t-il tourner à gauche ou à droite ? S'il prend à droite, j'irai peut-être laisser l'infirmière à Saint-Luc. Je n'ai qu'à la déposer près de la porte des urgences avant de m'enfuir. S'il va à gauche, qu'est-ce que je fais ? Je ne connais pas d'hôpital dans cette direction.

Pas de chance ! Il tourne à gauche. Un instant, je songe à prendre à droite quand même, mais il a laissé dans l'intersection une congère de presque un mètre de haut. Je n'ai pas d'autre solution que de suivre.

Nous remontons la rue Saint-Denis pendant un long moment. Elle est assez bien éclairée par ses lampadaires, mais on voit encore moins que s'il n'y en avait pas : il n'y a devant moi que du blanc avec, au milieu, les feux rouges et le clignotant jaune de la niveleuse. Dès que je vois qu'ils disparaissent un tant soit peu, j'appuie doucement sur l'accélérateur pour éviter de me laisser distancer.

Je ne sais plus où nous sommes. Dans la rue Saint-Denis, oui, mais à quelle hauteur ? Impossible de lire les noms de rues sur les panneaux à cause de la neige fondante du début de la tempête, qui leur a collé après. De toute façon, je ne peux tourner ni à droite ni à gauche. À droite, il y a la congère repoussée par ma niveleuse. À gauche, il y en a une semblable, formée par une

autre niveleuse qui vient de passer en sens in-
verse.

Je suis condamné à suivre éternellement cette
damnée niveleuse avec mes deux cadavres ou
quasi-cadavres. Mon infirmière ne parle plus, ne
gémit plus. Elle s'est peut-être endormie ou elle a
perdu conscience. Mais je ne serais pas du tout
étonné qu'elle soit morte, elle aussi. Quand on se
fait frapper par une voiture et traîner sur quelques
centaines de mètres, même si la balade est amor-
tie par la neige, on n'en a généralement plus
pour longtemps si on n'est pas amené à l'hôpital
dans les plus brefs délais.

Tiens, ma niveleuse, qui ne s'arrête jamais
aux feux rouges, vient de stopper. Qu'est-ce qui
se passe ? Je vois dans la congère de droite des
reflets de clignotants multicolores. Une voiture
de police, peut-être ?

Comme de fait, le visage d'un agent à la
moustache givrée apparaît à ma gauche. Je baisse
la vitre.

« On a eu un accident et mon collègue est
blessé. L'ambulance a eu un accident, elle aussi.
Vous pouvez l'amener à Saint-Luc ? La police va
payer pour faire nettoyer les taches. »

Je ne dis rien. De toute façon, ce n'était pas
une question mais un ordre.

Le policier disparaît et revient bientôt avec
un type que je suppose être le conducteur de la
niveleuse. Ils ont chacun autour du cou le bras
d'un autre agent, qui a saigné abondamment,

puisque tout l'avant de son manteau d'uniforme est rouge. Ils déposent le blessé sur la banquette arrière.

« C'est une amie, elle a trop bu, je dis, pour expliquer le silence et l'immobilité de la voisine du nouveau venu.

Pascal, lui, est invisible, parce qu'il a glissé sur le plancher, sous le tableau de bord, quand j'ai freiné tout à l'heure, et je ne me suis pas donné la peine de le redresser.

Le conducteur de la niveleuse me guide pour m'aider à faire demi-tour. Et me voilà en route pour l'hôpital Saint-Luc.

Qu'est-ce que je fais ? Je vais aux urgences, je leur dis « Voilà deux personnes qui ont besoin de soins » et je file avec Pascal sans demander mon reste. Je parie que, dans la confusion, personne ne va me retenir si je pars discrètement.

Non, je ne vais plus à Saint-Luc. J'ai rattrapé la niveleuse que j'avais croisée tout à l'heure. Ou une autre qui roule dans la même direction. En tout cas, elle décide de tourner à gauche. Je crois que c'est sur l'avenue du Mont-Royal, en direction est. Va pour Mont-Royal, si c'est Mont-Royal. Ça va me rapprocher un peu de chez moi.

J'essaie de me détendre. Ce n'est pas si facile. Je ne suis pas habitué à me balader dans la neige avec une collection de plus ou moins cadavres. Mais je me résigne à suivre cette niveleuse sans me presser. Je n'ai pas le choix. Aussi bien faire semblant que c'est quasiment agréable. J'allume la radio, au cas où elle me dirait quand cette damnée tempête va se terminer. «Crois-moi, crois-moi pas, que'qu'part en Alaska...»

Je suis tombé sur le phoque en Alaska! Qu'est-ce qu'ils ont dans la tête, à Radio-Canada, pour faire jouer des chansons pareilles par un temps pareil? Je me penche vers la radio pour trouver autre chose.

Malheur de malheur! Je n'ai même pas senti la voiture déraper. Et voilà qu'elle décide de franchir la congère de droite, y parvient et va se planter dans un poteau de métal coiffé d'un feu vert.

Le choc a été assez doux pour que le coussin gonflable ne se déploie pas. À moins qu'il ne soit défectueux? Si j'avais su, j'aurais eu un accident plus tôt, avec Pascal comme seul passager. Mais il est trop tard pour me lamenter.

Je sors examiner les dégâts. J'ai déjà vu de pires accidents, mais le phare de gauche est démoli et la roue du même côté est tournée carrément vers l'intérieur, alors que la droite vise la gauche.

Je reprends le volant et j'essaie de faire marche arrière. La voiture ne bouge pas d'un millimètre.

Qu'est-ce que je fais, maintenant? C'est évident: je rentre chez moi et je laisse tout le monde là. Qu'ils se démerdent s'ils sont encore vivants. Mais ça m'étonnerait qu'ils le soient encore longtemps. Sinon, qu'est-ce que ça peut faire? Et puis, plus j'y pense, plus cet accident qui n'a pas déclenché le coussin gonflable me paraît miraculeux.

D'ici une heure ou deux, les équipes de déneigement vont être en pleine action et vont trouver cette voiture avec trois morts ou agonisants. Tout ça va d'autant plus ressembler à un vulgaire accident de voiture dans la tempête que c'en est vraiment un.

Le seul problème, c'est qu'on va se demander qui était au volant s'il n'y a personne. Le mieux, ce serait que ce soit Pascal, puisque c'est sa voiture. La défectuosité du coussin gonflable aura eu pour effet de le tuer même si ce n'était pas un accident très violent.

Vite, avant que quelqu'un arrive ! Je sors, j'ouvre la portière de droite. Je redresse Pascal et j'essaie de le pousser du côté du conducteur. Je n'y arrive pas, à cause du levier de vitesses. Il faut que je lui fasse faire le tour de la voiture. Je parviens à le sortir. Je mets un de ses bras par-dessus mon épaule, je referme la portière, je fais quelques pas. Il est moins raide que tout à l'heure. Je suppose que le chauffage de la voiture a fini par le dégeler. Il est même tellement mou que j'échappe son cadavre, qui tombe la face la première dans la neige.

En fait, il est très bien comme ça. Les équipes de déneigement vont sûrement faire plus attention à un type étendu dans une congère qu'à une voiture si peu abîmée qu'on pourrait la croire abandonnée là par un automobiliste excédé de

chercher une meilleure place pour se garer. On
pourra facilement imaginer que le type était au
volant, qu'il est sorti, abasourdi par le choc, et
qu'il est tombé dans la neige après avoir fait
quelques pas.

Par contre, celui qui devrait m'inquiéter – et
qui commence à m'affoler –, c'est l'agent sur la
banquette arrière. Quelques vulgaires civils trouvés morts dans une Jetta ou tout près, ça ne dé-
clenche pas des enquêtes à n'en plus finir. Mais
un flic décédé dans une voiture alors que quelqu'un avait promis de le conduire à l'hôpital,
c'est une autre histoire.

D'abord, comment se porte-t-il ? J'ouvre la
portière arrière, je tâte son poignet. Pas évident,
le pouls. Mais il n'est pas impossible qu'il en ait
encore un. Si je le laisse dans la voiture et qu'on
le retrouve mort dans quelques heures, ça risque
de causer plus d'ennuis que si on le retrouve encore vivant d'ici peu, parce que deux corps
étendus dans la neige, surtout quand il y en a un
en uniforme de policier, ça va sûrement attirer
l'attention de quiconque va passer par là. Sans
être expert en médecine ni en alimentation, je
suis prêt à parier que la neige, pour les blessés, ça
conserve aussi bien que la glace pour les
poissons.

Lui, il fait au moins deux fois le poids de
Pascal, mais j'arrive à le traîner jusqu'à la
congère. Je le hisse à côté de Pascal. Et, tant qu'à
faire, pourquoi ne pas aligner l'infirmière à côté

d'eux ? Elle n'est pas lourde. Si elle n'est pas
morte, elle aussi la neige devrait la conserver.

Que va-t-on penser qu'il s'est passé ?

Secoué par l'accident, le conducteur est sorti
et s'est affalé dans la neige. Le policier est sorti à
son tour pour lui venir en aide. Et l'infirmière,
fidèle à son serment professionnel, s'est préci-
pitée à leur secours. Le hasard a voulu qu'ils
tombent tous les trois, vaincus par leurs bles-
sures. C'est aussi improbable qu'acheter le billet
gagnant à la loterie ! Mais il y a quand même
toujours quelqu'un comme Pascal pour rafler le
gros lot. Alors...

Voilà, c'est fait. Ils sont étendus côte à côte.
Seule l'infirmière est couchée sur le dos parce
qu'elle est tombée comme ça quand je l'ai lâchée.

Je n'ai plus qu'à rentrer chez moi à pied
comme s'il ne s'était rien produit. Pas la peine
d'effacer mes traces de pas dans la neige. Elles
vont être recouvertes dans quelques instants
puisque la neige tombe de plus belle.

Le trottoir n'a pas été déneigé. Je fais quelques
pas dans la rue.

Je regarde ma montre. Déjà six heures et
demie. Il fait presque jour. Pas la peine de rentrer
à la maison. Je prends plutôt l'avenue du Mont-
Royal.

Tiens, un restaurant ouvert. J'ai peiné toute la
nuit comme un forcené. Ça creuse l'appétit.
J'entre. Je commande à déjeuner. L'homme
derrière le comptoir me fait des œufs et des toasts

qu'il me sert lui-même. Je parie que sa serveuse est retardée par la tempête, mais ce n'est pas bien grave, parce que les clients le sont aussi.

❏

Huit heures moins vingt. On dirait que la neige va enfin cesser de tomber. J'avale un dernier café et je décide de marcher jusqu'au bureau. Normalement, j'y suis vers neuf heures. J'ai intérêt à faire comme s'il ne s'était rien passé. À pied, je serai là à l'heure habituelle.

J'arrive à la rue Saint-Denis. Le déneigement commence à sortir son artillerie lourde. Les chasse-neige sont en pleine action. De longues files de camions suivent les souffleuses en attendant d'être remplis à tour de rôle. J'ai même la chance de marcher juste derrière une chenillette qui chasse la neige sur le trottoir, va et vient, avance et recule, s'agite comme la mouche du coche mais m'ouvre la voie, à la vitesse qui me convient.

Montréal est devenu un immense chantier de déneigement. Au milieu de toutes ces machines, des automobilistes essaient de se frayer un chemin jusqu'à leur lieu de travail. Ils n'avancent que d'un millimètre à l'heure, parce que la voie est bloquée par les chasse-neige, dont la voie est bloquée par les voitures. Je sais que tout le monde va râler que ça prend trop de temps. Mais comment des gens peuvent-ils imaginer qu'on pourra enlever en quelques heures toutes ces tonnes de neige ? Si j'étais maire de Montréal, après une tempête pareille, j'interdirais jusqu'à la fonte des neiges toute circulation automobile non essentielle. Tant pis s'il faut attendre encore deux mois.

J'arrive devant le bureau avec un peu d'avance. Je vais boire encore un café au restaurant d'en face. À neuf heures, j'entre, je prends l'ascenseur.

À l'agence, il n'y a que la réceptionniste, qui habite à côté. Le patron lui a demandé de téléphoner à tout le personnel pour annoncer que le bureau serait fermé aujourd'hui. Elle me dit :

— J'ai laissé un message sur ton répondeur. Tu prends pas tes messages ?

— Jamais en me levant.

Je vais quand même à mon bureau. Je fais semblant de travailler, mais je n'avance à rien. J'ai un thème que je ne trouve pas si mal pour ma campagne d'Héma-Québec : « C'est plein de bon sang. » Mais je n'arrive pas à le développer. Avec un thème, ce qui compte, ce n'est pas ce qu'il dit, mais ce qu'on en fait. C'est comme un roman : on se fiche de l'histoire, on veut juste savoir comment elle est racontée.

À dix heures, je dis au revoir à la réceptionniste et je rentre chez moi. Je veux surtout aller voir ce qui se passe à l'intersection de l'avenue du Mont-Royal et de la rue Fabre où, me semble-t-il, j'ai abandonné la Jetta et mes trois cadavres plus ou moins trépassés.

La neige a recommencé à tomber. À bien y regarder, c'est plutôt de la poudrerie. Le mercure est tombé encore plus bas, un soleil pâlot s'est montré le bout du nez. Du haut des toits, le vent souffle une petite neige fine et on croirait qu'il neige pour vrai. D'autant plus que l'effet est exactement le même : dans la rue et sur les trottoirs, les congères recommencent à prendre du volume.

Les bouchons de circulation ont fondu. Les gens sont rendus au travail ou ont décidé de rentrer chez eux. Les équipes de déneigement sont toujours à l'œuvre. Les camions sont encore plus nombreux à attendre de se faire charger par les souffleuses. Rue Saint-Denis, les trottoirs, dégagés quand je suis passé tout à l'heure, sont en train de redevenir impraticables.

Avenue du Mont-Royal, c'est pire. Les trottoirs n'ont pas été déneigés. Par contre, la rue vient d'être nettoyée. Et c'est là que je marche, quitte à me faire frôler par quelques voitures ou klaxonner après par les taxis.

Voilà Fabre. La Jetta n'est plus là. Aucun des trois corps non plus, ni la congère sur laquelle ils reposaient !

Pour plus de sûreté, je continue jusqu'à la rue Papineau, au cas où je me serais trompé de rue. Je dois me rendre à l'évidence : plus de Jetta, plus de Pascal, plus d'infirmière, plus de flic.

Tout est-il parfait ou tout va-t-il plus mal que jamais ? Je n'en sais rien. Je retourne chez moi.

❏

Il est onze heures et demie. Je sirote un cappuccino en feuilletant les albums de Pascal, que je n'avais jamais vus avant la nuit dernière.

C'est plein de photos de jolis garçons toujours dénudés, parfois avec Pascal, dans la même absence de tenue. Il y a aussi une bonne douzaine de photos où on le voit avec des petits garçons. Pas très, très petits : onze, douze, treize ans, je dirais. Ce doit être en Thaïlande, il y a de jolies plages et des palmiers. Pascal m'a déjà dit y être allé avant de me connaître. Mais je ne savais pas que c'était pour baiser avec des petits garçons. Le salaud ! Moi, à moins de dix-huit ans, je ne touche à personne, même si je ne demande pas toujours une carte d'identité.

Je comprends pourquoi il venait chercher ses photos. Il avait peur que je le fasse chanter ou que je me venge en les envoyant à mes copains journalistes.

J'allume la télé pour le journal de midi. Aussitôt, la lectrice de nouvelles donne l'antenne au reporter des chiens écrasés, qui est surexcité parce qu'il a sous la main de la matière encore plus juteuse que dans ses rêves les plus fous.

— Ce matin, vers huit heures, il s'est produit un accident d'une rare rareté, à l'angle de l'avenue du Mont-Royal et de la rue Fabre. Embêtés par le vent qui commençait à souffler en rafales, les employés du déneigement n'ont pas vu un ou plusieurs corps étendus dans un banc de neige. C'est seulement lorsqu'ils ont constaté qu'un camion se remplissait de sang autant que de neige qu'ils ont arrêté la souffleuse. Mais il était trop tard. À l'heure où je vous parle, les policiers ne savent pas de combien de corps il s'agit, tellement la chair a été réduite en bouillie par les puissantes turbines de la souffleuse. Par contre, ils ont découvert dans la benne du camion l'insigne métallique tordu mais encore identifiable d'un agent de la police de Montréal. Un collègue du policier à qui ce badge appartenait affirme que la nuit dernière il a confié son collègue, blessé dans un accident, à un automobiliste parce que l'ambulance qui devait venir le prendre a également eu un accident. L'agent affirme qu'en plus du conducteur il y avait une passagère sur la banquette arrière. Mais ce n'est que le commencement de cette histoire digne des meilleurs films d'horreur. En effet, le conducteur d'un autre camion rempli de neige a révélé peu après qu'en vidant la benne de son camion dans le fleuve Saint-Laurent, il a vu tomber des morceaux de chair et d'os qu'il a d'abord pris pour de la viande provenant des ordures d'une boucherie. Autre fait étrange, peut-être pas dépourvu de rapport avec cette affaire : tout près de là, une voiture accidentée a été enlevée plus tôt ce matin par une dépanneuse du service de déneigement. Eh bien ! cette voiture correspond au signalement donné par le collègue du policier blessé.

Elle appartient à Pascal Lamontagne, qui a gagné six millions à la loterie récemment et dont on a beaucoup parlé dans les journaux. Or ce Pascal Lamontagne aurait disparu, lui aussi ! Dans la souffleuse ou ailleurs ? Le vol serait-il à l'origine de cette épouvantable tragédie ? La police se perd en conjonctures et croit qu'il faudra plusieurs semaines pour identifier les restes humains trouvés dans la benne du camion de l'avenue du Mont-Royal. À l'heure où je vous parle, des hommes-grenouilles de la Sûreté du Québec plongent dans les eaux glacées du Saint-Laurent pour tenter de récupérer la sinistre cargaison de l'autre camion.

La speakerine reprend l'antenne. On voit que le sang lui répugne et qu'elle juge cette histoire de chiens suprêmement écrasés incompatible avec sa mission d'information du public.

Pendant un quart d'heure, pas une seconde de moins, elle nous parle de la tempête. Qui n'est pas du tout la tempête du siècle, puisqu'on en a eu une bien pire il y a cinq semaines à peine. On nous envoie toutes les images classiques, qu'elles soient fraîches ou tirées des archives de Radio-Canada : il y a les voitures qui dérapent, les trois ou quatre bons samaritains qui poussent la voiture d'un inconnu, les niveleuses, les souffleuses, les piétons qui peinent à traverser la rue, le livreur cycliste qui pédale là-dedans comme si de rien n'était, les voitures à l'envers dans les champs, les camions mis en portefeuille le long des autoroutes.

Tout ce temps, je reste là, sur mon canapé, catastrophé. Je suis le seul à savoir combien de corps sont passés dans la souffleuse. Et à savoir de qui il s'agit : d'un agent de police, d'une infirmière et d'un comptable.

Plus j'y pense, plus il me semble que je devrai dire adieu à mes millions.

❑

La police est venue chez moi, au milieu de l'après-midi.

Non, je n'ai pas vu Pascal Lamontagne depuis mon retour de Détroit. J'ai passé la nuit dernière dans mon lit et je suis allé travailler à pied ce matin, mais le bureau était désert, à part la réceptionniste, et je suis rentré à la maison.

Les enquêteurs me demandent si j'ai des photos de Pascal. Je leur montre les trois albums. Ils les regardent d'un air blasé, comme s'ils passaient leur vie à voir des garçons tout nus.

Ils me les laissent, sauf pour une photo en gros plan de Pascal. Je les avise qu'elle date de quelques années et qu'il a vieilli depuis. Ils disent que ça n'a pas d'importance. C'est seulement pour le dossier.

❑

Ça fait une semaine aujourd'hui.

J'ai de la chance. Le conducteur de la niveleuse et l'agent qui a mis son collègue dans la

Jetta croient reconnaître Pascal comme le conducteur de la Jetta, mais c'est difficile à dire, parce qu'un type sur une plage et un type dans une tempête de neige, ce n'est pas évident.

Malgré les recherches des plongeurs, la police n'a rien retrouvé du contenu du camion vidé dans le fleuve. Elle essaie de récupérer les millions de Pascal. Aucune banque, aucune caisse populaire n'a le moindre document à leur sujet.

La Financière Provinciale, ex-employeur de Pascal, est aussi très embêtée parce qu'elle le soupçonne d'avoir détourné elle ne sait combien de centaines de milliers de dollars de ses fonds en fidéicommis. Les enquêteurs me recommandent de n'en parler à personne, parce que la FP ne veut pas que ses clients s'imaginent qu'elle néglige leurs intérêts.

Ils en sont venus à une hypothèse qui va leur permettre de classer rapidement le dossier : Pascal Lamontagne a eu un accident qui lui a porté un coup mortel à cause d'un coussin gonflable défectueux. Il avait deux passagers : le policier et une infirmière, dont la disparition a été signalée par l'hôpital Saint-Luc. Ceux-ci auraient sorti Pascal de la voiture et essayé de trouver de l'aide, mais se seraient affaissés dans les congères. L'agent était blessé. L'infirmière était saoule. Une souffleuse, manœuvrée par des employés démotivés parce que leurs négociations syndicales sont dans une impasse, est passée là au mauvais moment. Les trois victimes étaient-elles vivantes ou mortes lorsqu'elles ont été réduites en petits morceaux? On ne le saura jamais.

— Si vous voulez mon avis, conclut le lieutenant Bellagamba, à part les quelques lambeaux de chair qu'on a trouvés, ils sont tous dans l'estomac des esturgeons du Saint-Laurent.

— Il y a des esturgeons près de Montréal? je demande, étonné.

— Oui, des comme ça.

Et il étend les bras pour montrer qu'il y en a des longs comme la largeur de mon salon.

❏

J'ai fait le ménage complet de l'appartement, dans l'espoir que Pascal y aurait caché une partie de son argent. Rien.

Je n'ai parlé à personne du testament de Pascal. Mais je garde précieusement ma copie.

Si on retrouve l'argent de la loterie, est-ce que je vais faire valoir mes droits sur l'héritage? Oui, si on semble toujours croire — avec raison — que je ne suis coupable de rien. Mais ça m'étonnerait qu'on récupère les millions. D'après la police, Pascal a pu les déposer sous un nom d'emprunt avec les fonds qu'il a subtilisés à son employeur, dans l'intention de les soustraire aux impôts et aux recherches de la FP. Ou même les envoyer dans un compte en Suisse. Un comptable comme lui savait quoi faire.

Pascal est mort. Les millions se sont vola-
tilisés et passeront un jour, je suppose, aux profits
d'une grande banque helvétique.

Je sais que je suis blanc comme neige, mais il
m'arrive de me sentir vaguement coupable. J'aimerais bien savoir de quoi. Ce n'est quand même
pas de ma faute si des employés municipaux
négligents ne se sont pas assurés qu'il n'y avait
personne dans les congères. Ce n'est pas non
plus de ma faute si des entrepreneurs peu cons-
ciencieux ont équipé nos habitations d'escaliers
extérieurs casse-gueule.

❑

Ce soir, en rentrant du boulot, je trouve une
enveloppe bizarre dans ma boîte aux lettres. Il y
a un timbre de la Thaïlande, mais pas d'adresse
de retour. Je l'ouvre. Il y a quelques feuilles de
papier pliées en trois. Pas un mot. Au milieu
d'une des feuilles, on a scotché une pièce de
monnaie : un dollar canadien.

Je sais de qui vient ce huard. De Pascal. Sa
chute dans l'escalier ne l'a pas tué. Elle l'a seulement assommé.

Quand a-t-il repris conscience ? Peut-être à la
dernière minute, alors qu'il était étendu dans la
neige et qu'il a entendu la souffleuse s'approcher.
Mais je parie qu'il s'est réveillé beaucoup plus
tôt, pendant que je le baladais en voiture. Et
l'enfant de salaud a fait semblant de rien. Il m'a

laissé me démerder tout seul avec mes cadavres tandis qu'il réfléchissait bien tranquillement au parti qu'il pourrait tirer de cette situation. À moins qu'il n'ait feint de tomber dans l'escalier, juste pour voir ce que j'étais prêt à faire pour lui, alors qu'il venait de me donner trois millions de dollars. S'il s'imaginait que je lui sauverais la vie ou, à tout le moins, que j'appellerais l'ambulance, il s'est fourré le doigt dans l'œil jusqu'au coude.

N'empêche que, plus je songe à ce qu'il a essayé de me dire en m'envoyant son dollar, plus je comprends son message : le dernier des imbéciles, ce n'est pas lui. C'est moi.

Première publication :
collectif *Montréal noir*,
Les 400 coups, 2003.

Bienvenue à Montréal

La nuit était tombée et j'avais hâte d'arriver chez moi.

J'étais parti pour un mois de camping en Virginie, dans les montagnes du Blue Ridge Highway. Mais il avait plu tout le temps. Après cinq jours de crachin continu, j'avais jeté dans le coffre de la voiture le matériel de camping dégoulinant d'eau.

Parti à huit heures du matin, j'arrivais treize heures plus tard à la frontière canadienne, franchie avec lenteur pour cause de terrorisme appréhendé, comme si des milliers d'islamistes pouvaient projeter de faire sauter notre oratoire Saint-Joseph.

L'attente avait exacerbé mon envie d'uriner. Impossible de me retenir jusqu'à Montréal. À deux ou trois cents mètres passé la douane, il y avait des toilettes publiques. Je m'y suis arrêté pour me soulager.

En revenant à ma voiture, j'ai été accosté par un curieux personnage sorti de l'obscurité. J'ai cru entendre les mots *refugee, rousski* et Montréal. C'était suffisant pour comprendre qu'il était réfugié russe et où il voulait aller.

L'homme n'était pas plus grand ni plus costaud que moi et avait l'air parfaitement inoffensif. Quarante ans, peut-être. Il avait une petite valise à la main. Il était habillé de neuf, me semblait-il, avec une casquette ridicule à motif écossais et une veste de couleur olive. Une tête de commis de magasin, avec sa lèvre supérieure décorée d'une moustache fine. Réfugié russe ? Je n'étais pas sûr que ça pouvait exister. Mais j'allais à Montréal et le siège du passager était libre.

— Montez.

Sans un mot, il s'est assis à côté de moi et nous sommes partis dans la nuit.

J'ai essayé de faire la conversation en français, puis en anglais. J'ai même baragouiné quelques mots d'espagnol. En vain. L'homme gardait le silence et se contentait de sourire en s'agrippant à la valise posée sur ses genoux.

Tant pis. J'ai allumé la radio, branchée sur le lecteur de disques compacts. La voix de Plume s'est fait entendre : « Tête à pied, dos à dos, sans papiers, sans photo... »

Si j'avais pu parler à mon passager, je lui aurais fait remarquer la coïncidence des paroles « sans papiers, sans photo » et de sa présence dans ma voiture. Mais j'aurais sans doute eu tort : même si je ne connais pas grand-chose aux réfugiés, je suppose que ceux-ci reçoivent en entrant dans notre pays des papiers en règle, avec photo d'identité.

J'ai alors pris conscience d'une coïncidence bien plus étonnante. Parmi les douze disques compacts que j'avais chargés dans le lecteur ce matin-là, il y avait le seul disque russe que je possède : Boulat Okoudjava, justement un dissident. Peut-être même un copain de mon réfugié. J'ai appuyé sur le bouton pour changer de disque.

Jean Leloup a lancé : « Aujourd'hui, la fumée d'incendie a jauni le ciel et rougi le soleil. » J'aurais pu continuer d'initier mon Russe à la chanson québécoise. J'ai plutôt appuyé encore sur le bouton et je suis enfin tombé sur la première plage du disque d'Okoudjava. Je ne comprenais rien aux paroles, sauf le mot « Portland ».

Fier d'offrir si gentiment à mon passager de la musique dans sa langue, j'ai tourné la tête vers lui. Aucune réaction de sa part. Pas un sourire, pas un signe d'étonnement. J'ai reporté mes yeux sur la route en fronçant les sourcils. Bizarre, ça. Vous arrivez dans un pays étranger, le conducteur du véhicule dans lequel vous avez pris place tout à fait gratuitement a la délicate attention de vous faire entendre de la musique dans votre langue. Et vous ne réagissez pas. Il n'y a qu'une explication possible : vous ne venez pas du pays dont vous prétendez venir.

Mon Russe n'était pas plus russe que Plume Latraverse. Il avait pourtant bien dit *rousski* ou quelque chose d'approchant. Et il n'avait pas une tête de Mexicain ou d'Africain. D'où venait-il, alors ? D'abord, était-il vraiment un réfugié ? Il pouvait être arrivé près de la frontière depuis New York ou Dieu sait où, et avoir contourné la douane en marchant dans les bois ou dans les champs, pour revenir à la route et faire croire au premier imbécile venu qu'il avait le statut de réfugié.

Et je ne voyais qu'une raison pour qu'il agisse ainsi : il n'était pas un réfugié, IL ÉTAIT UN TERRORISTE !

D'ailleurs, la valise qu'il tenait si fermement sur ses genoux était trop petite pour contenir les effets personnels d'un honnête homme. Que contenait-elle donc ? Des explosifs. Ou une bombe. Amorcée, peut-être. Sur le point d'exploser, même. Il arrive que des kamikazes règlent mal la minuterie et que leur engin leur saute au visage – donc, dans ma face à moi aussi.

J'ai tenté d'observer mon passager du coin de l'œil. Pouvait-il être tchétchène ? Probablement. Mais se pouvait-il qu'un Tchétchène ne connaisse pas le russe ? Je l'ignorais. Je savais seulement que les Tchétchènes sont prêts à tout, et d'abord à s'emparer d'un théâtre rempli de spectateurs russes. Et qu'ils sont musulmans. Et aussi que des copains musulmans venus d'autres pays vont parfois leur donner un coup de main.

Mon passager avait-il une tête de terroriste tchétchène ou arabe ? Pas vraiment. Les musulmans qui se sont emparés des avions lancés sur le World Trade Center avaient-ils la tête de l'emploi ? Sûrement pas, sinon personne ne les aurait laissés prendre des cours de pilotage d'avion avec décollage mais sans atterrissage.

Que faire, maintenant ?

Des yeux, j'ai cherché une voiture de la Sûreté du Québec ou le panneau routier qui signale un poste de police. Ni voiture ni poste. Où sont les flics quand on a besoin d'eux ?

Nous approchions de Montréal et pouvions admirer, de l'autre côté du fleuve Saint-Laurent, le spectacle des gratte-ciel scintillant de millions de lumières. Mon passager ne leur prêtait aucune attention. Soit il était déjà venu à Montréal, soit il s'efforçait de rester indifférent devant cette ville étrangère qu'il se proposait de détruire en tout ou en partie.

J'habite dans l'est de Montréal, mais j'ai décidé d'éviter le tunnel Louis-Hippolyte-Lafontaine. Une bombe qui explose dans un endroit pareil peut causer des dégâts considérables – à commencer par le déchiquetage du corps du conducteur de la voiture qui la transporte.

J'ai pris le pont Jacques-Cartier. Au sommet de l'arche la plus élevée, j'ai vu du coin de l'œil le regard de mon passager s'allumer enfin d'une certaine excitation – pas très rassurante, à bien y penser.

– Montréal, j'ai dit en roulant le *r* et en prononçant le *t* parce que ça ressemblait à la

manière dont Okoudjava venait de chanter
« Portland ».

Mon passager a hoché la tête et esquissé un
sourire inquiétant.

Horreur ! J'étais sur le point de faire pénétrer
dans la métropole du Québec un terroriste muni
d'une bombe qui pouvait être nucléaire, car la
miniaturisation avait sûrement fait des pas de
géant dans ce domaine comme dans tant d'autres.

Que faire ? Pour limiter les dégâts, je pouvais
accélérer à fond et lancer la voiture contre le
garde-fou. Avec un peu de chance, nous tombe-
rions tous dans le fleuve : moi, la Toyota, mon
passager et surtout la bombe que j'espérais ne
pas être à l'épreuve de l'eau. Ce n'est pas tous les
jours que se présente l'occasion d'un tel acte
d'héroïsme.

J'ai serré les dents, j'ai appuyé sur l'accélérateur. Juste à ce moment-là, mon réfugié s'est
exclamé :

– Ah, *rousski* !

Et il désignait la radio. Sans doute habitué
depuis toujours à entendre des chansons russes à
la radio de son pays, il avait mis du temps à
prendre conscience de l'incongruité de cette chanson dans ce lieu où le français est prétendument
la seule langue officielle.

J'ai aussitôt relâché l'accélérateur, donné un
coup de volant pour reprendre la ligne droite.

Mon Russe souriait de toutes ses dents. Après
avoir fui un régime qui le privait de je ne sais

quelles libertés, il était enfin accueilli dans une grande ville d'Amérique. Merveille des merveilles, la radio lui offrait, pour célébrer son arrivée, la voix d'un dissident de son pays.

Et moi, soudain réconcilié avec tous les réfugiés de la planète, j'ai conclu, avec autant de soulagement que de générosité :

— Bienvenue à Montréal.

Première publication :
revue *Brèves*, printemps 2004.

La salope

Jeudi douze

L'HOMME EN COSTUME BLEU MA-
RINE, À LA PORTE DE L'APPARTE-
MENT DE L'ACTRICE VIEILLISSANTE :
Madame Cartier ?

L'ACTRICE VIEILLISSANTE, AVEC UNE
POINTE D'APPRÉHENSION : Oui ?

LA FEMME EN TAILLEUR GRIS, À
CÔTÉ DE L'HOMME EN COSTUME BLEU
MARINE : Je suis Hélène Lavoie, du ministère
de l'Aide sociale. Et voici Louis Desmarais, du
ministère des Ressources fiscales. Pouvons-nous
entrer ?

L'ACTRICE, À PEINE RASSURÉE, DÉ-
TACHANT LA CHAÎNE QUI EMPÊCHAIT
LA PORTE DE S'OUVRIR TOUTE GRANDE :
Oui.

LA FEMME EN TAILLEUR GRIS, PRE-
NANT PLACE SUR LE CANAPÉ QUE LUI
DÉSIGNE L'ACTRICE : Madame Cartier, voici
ce qui nous amène.

L'HOMME EN COSTUME BLEU MA-
RINE, S'ASSOYANT À L'AUTRE EXTRÉ-
MITÉ DU CANAPÉ : Nous savons que vous
avez des ennuis financiers. Vos deux derniers
films n'ont pas eu le succès qu'ils méritaient…

LA FEMME EN TAILLEUR GRIS, EN SE
REDRESSANT SUR LE CANAPÉ TROP
PROFOND À SON GOÛT : Les critiques ont
d'ailleurs été extrêmement injustes à votre égard.
Nous avons vu vos films, vous savez.

L'HOMME EN BLEU MARINE : Des gou-
jats, avons-nous été plusieurs à dire – aux Ressources fiscales, en tout cas.

L'ACTRICE, DE SON FAUTEUIL DROIT
QUI LUI DONNE UN BEAU PORT DE
TÊTE : Je suis ravie que vous vous préoccupiez
tant de ma carrière, mais je ne vois pas pourquoi…

L'HOMME, EN S'ÉPONGEANT LE FRONT
AVEC SON MOUCHOIR : Vous avez raison.
Venons-en au fait, car vous avez sûrement autre
chose à faire et nous avons pour notre part plusieurs autres rendez-vous aujourd'hui.

LA FEMME, SUR UN SIGNE DE
L'HOMME : Vous savez sans doute que demain
est un vendredi treize ?

L'ACTRICE, AVEC INDIFFÉRENCE : Je
n'y avais pas songé.

LA FEMME, TOUJOURS : Eh bien, sachez
que les patients des établissements psychiatriques
qui sont sous la responsabilité de mon ministère
y songent, eux.

L'ACTRICE, TOUJOURS INDIFFÉRENTE : Vraiment ?

LA FEMME, AVEC CONVICTION : Le taux de suicide est dix fois plus élevé les vendredis treize que tout autre jour de l'année.

L'HOMME, AVEC INSISTANCE : Dix fois.

L'ACTRICE, UN TOUT PETIT PEU SARCASTIQUE : J'avais compris.

L'HOMME, MAL À L'AISE : Bien entendu, nos ministères respectifs n'attribuent aucunement cela au hasard. D'après les spécialistes, les maniaco-dépressifs seraient plus superstitieux que la moyenne des gens. C'est pourquoi ils sont si nombreux, chaque vendredi treize, à mettre fin à leurs jours.

LA FEMME, GÊNÉE ELLE AUSSI : L'an dernier, le vendredi treize novembre, ce taux de suicide a même été deux fois plus élevé que le treize mars.

L'ACTRICE, NON SANS MALICE : Vingt fois plus, donc, qu'un jour ordinaire.

LA FEMME, SUR UN TON DE FAUSSE GRAVITÉ : Savez-vous pourquoi ?

L'ACTRICE, INTRIGUÉE : Non.

LA FEMME, TRIOMPHANTE : Alice Peujod s'était suicidée la veille. Et vous savez comme ces gens sont sensibles au sort de leurs vedettes. Ce jour-là, vingt-deux personnes se sont suicidées dans nos institutions psychiatriques, alors qu'en moyenne une personne virgule deux seulement se tue chaque jour.

L'ACTRICE, COMMENÇANT À DEVINER POURQUOI ON LUI RACONTE ÇA : Je ne vois pas pourquoi vous me racontez ça.

L'HOMME, FATIGUÉ DE S'ÊTRE TU SI LONGTEMPS : J'y arrive. Notre ministère a songé que vous pensiez peut-être au suicide.

L'ACTRICE, SE RAIDISSANT MALGRÉ ELLE : Je ne connais personne qui n'y pense jamais.

LA FEMME, EN RIANT : C'est bien entendu une décision tout à fait personnelle, dans laquelle nous n'oserions jamais intervenir de quelque manière que ce soit.

L'HOMME, MIELLEUX : Même que nos deux ministères préféreraient de loin vous garder parmi nous. Votre carrière peut encore rebondir, nous en sommes tous parfaitement convaincus.

LA FEMME, MIELLEUSE : Toutefois, si vous deviez décider de vous suicider, vous auriez tout intérêt à le faire demain, vendredi treize.

L'HOMME, SAVANT : Vous savez, l'entretien de chaque bénéficiaire d'institution psychiatrique coûte très cher au gouvernement. Plus de cinquante mille dollars par année.

LA FEMME, PLUS SAVANTE ENCORE : Cinquante-six mille trois cents dollars, pour être plus précis.

L'HOMME, COMPASSÉ : Eh bien ! quand une vedette qui est chère à ce genre de personne – et vous correspondez parfaitement au profil idéal des idoles de ces gens – se suicide un jour ordinaire, on passe du suicide virgule deux habituel à même pas trois. Par contre, quand c'est un vendredi treize, on passe de douze et des poussières à vingt-deux.

LA FEMME, FLATTEUSE : Cela veut dire que le suicide d'une personnalité de votre envergure un vendredi treize soulage l'État d'une dizaine de bénéficiaires.

L'HOMME, UTILISANT LA CALCU-LETTE DE SA MONTRE-BRACELET : Faisons le calcul : cinquante-six mille trois cents dollars fois dix, cela fait cinq cent soixante-trois mille dollars par an.

LA FEMME, CONSULTANT UN CALE-PIN : Or, vous devez au fisc, très exactement, en date d'aujourd'hui, la somme de quatre cent vingt-deux mille dollars et soixante-seize cents. Le gouvernement est disposé à effacer cette dette de votre succession...

L'ACTRICE, BRUSQUEMENT : À condition que je me suicide un vendredi treize.

L'HOMME, AVEC BONHOMIE : Oh, mais notez bien que si vous n'avez aucune intention de vous suicider, nous ne vous y encourageons nullement. Par contre, si vous désirez, de votre seule et unique volonté, mettre fin à vos jours, il serait dans votre intérêt, dans celui de vos héritiers et dans celui de la collectivité que vous le fassiez demain.

L'ACTRICE, D'UN TON CASSANT : Mais pas dans celui des gens qui m'imiteraient.

LA FEMME, OUVRANT SON PORTE-DOCUMENTS : Oh, vous savez, ce sont par définition des esprits dérangés. Des gens qui, s'ils ne se suicident pas maintenant, se suicideront tôt ou tard.

L'HOMME, PAS TROP SÛR DE LUI : Et songez à leurs familles, au poids moral que constitue l'existence de ces gens qui leur sont chers, mais avec lesquels il leur est impossible d'avoir des relations normales.

LA FEMME, SORTANT UNE ENVELOPPE DE SON PORTE-DOCUMENTS : Nous avons des photos. Voulez-vous les voir ? Vous comprendrez...

L'ACTRICE, TRISTE : Non, merci. Mais, dites-moi, qu'est-ce qui me garantit que vous me créditerez la somme promise ?

L'HOMME, TIRANT DE SA POCHE DE POITRINE UNE PETITE CARTE : Vous avez notre parole à tous les deux. Et aussi celle du Président. Tenez.

L'ACTRICE, APRÈS AVOIR LU SUR LA CARTE À L'EMBLÈME DE LA PRÉSIDENCE LES MOTS « QUOI QU'IL ARRIVE, JE RESPECTERAI VOTRE DÉCISION. R. B. » : Et si je racontais tout ça aux journalistes ?

L'HOMME, EN SOURIANT : Nous nierions, bien entendu. Officiellement, nous sommes venus vous demander, à la suggestion du Président, de vous joindre à un nouveau comité sur les droits fiscaux et sociaux des artistes de la scène et du cinéma.

LA FEMME, OBLIGEAMMENT : Mais si vous tenez à avoir un témoin, vous pouvez faire venir un de vos héritiers ; nous lui répéterons notre offre, à condition qu'il s'engage sous serment à ne jamais la révéler.

L'ACTRICE, IMPATIENTE : Je n'ai pas d'héritier.

LA FEMME, FEIGNANT LA COMPASSION : Vous avez bien un fils ?

L'ACTRICE, HAUSSANT LES ÉPAULES : Je ne l'ai pas vu depuis treize ans.

L'HOMME, INSISTANT : Si vous voulez rédiger votre testament, un notaire attend dans la voiture.

L'ACTRICE SÈCHEMENT, EN SE LEVANT : Non, ce ne sera pas nécessaire.

LA FEMME, JUSTE COMME LA PORTE SE REFERME SUR ELLE ET SUR SON COMPAGNON : Vous savez, quatre cent vingt-deux mille dollars, c'est beaucoup d'argent...

Lundi seize

LA FEMME AU TAILLEUR GRIS, MAINTENANT EN TAILLEUR VERT, ENTRANT DANS LE BUREAU DE L'HOMME AU COSTUME BLEU MARINE, TOUJOURS EN COSTUME BLEU MARINE : As-tu le journal ?

L'HOMME AU COSTUME BLEU MARINE : Oui. Elle s'est tuée.

LA FEMME, TRIOMPHANTE : J'en étais sûre. Quand ?

L'HOMME, HOCHANT LA TÊTE : Samedi.

LA FEMME, DÉÇUE : La salope.

Première publication :
XYZ. La revue de la nouvelle, n° 13, 1988.

L'homme qui faisait
arrêter les trains

Comme la plupart des amateurs de course à pied, Gonzague Gagnon détestait et redoutait la distance entre le tiers et la moitié.

Sur le petit chemin de terre où il courait tous les jours dix kilomètres avant de revenir sur ses pas en marchant, il avait planté des piquets indiquant les principales étapes du parcours : le dixième, le cinquième, le quart, le tiers, la moitié, les deux tiers, etc.

Le premier tiers se courait toujours le plus facilement, parce que Gonzague Gagnon ne ressentait pas encore la fatigue et aussi parce que ce tiers se partageait en nombreuses fractions donnant l'impression de progresser rapidement.

Mais dès qu'il avait dépassé le piquet du premier tiers, Gonzague Gagnon avançait dans un *no fraction's land* : un kilomètre et deux tiers sans piquet, avec la tentation d'abandonner parce que les jambes commençaient à lui faire mal.

Peu instruit, Gonzague Gagnon ignorait que, par un bizarre caprice des mathématiques, la distance entre le tiers et la moitié était véritablement deux fois plus grande qu'entre le quart et le tiers. Il croyait que ce n'était qu'une illusion. Et cela revenait au même.

De plus, au tiers environ de sa course, le chemin tortueux qui était jusque-là agréablement ombragé le long d'un petit torrent débouchait en rase campagne, devenait tout droit entre deux champs plats. À droite, on apercevait la voie du chemin de fer, fort peu utilisée. À gauche, on pouvoir voir au loin le fleuve, très large à cet endroit et coulant entre deux rives plates, dépourvues d'intérêt.

Le piquet marquant la moitié de la course était planté juste de l'autre côté du petit pont enjambant la rivière Saint-Nicol. Et le chemin redevenait alors ombragé et plein de ces mille et un détours qui transforment la course la plus monotone en expérience constamment changeante et donnent l'impression qu'on avance beaucoup plus rapidement qu'au milieu des champs.

Bref, dès la mi-chemin passée, tout redevenait facile. Gonzague Gagnon savait alors que le plus dur était fait et qu'il ne servait plus à rien d'abandonner, car dès les deux tiers atteints il arriverait vite aux trois quarts, puis aux quatre cinquièmes, puis au piquet marquant sa destination finale.

Il aurait trouvé la course à pied éminemment facile – trop, peut-être – s'il n'y avait eu ce satané écart entre le tiers et la moitié. Et les rares fois où il abandonnait pour rentrer en marchant avant d'avoir atteint son objectif, c'était quelque part entre le piquet du tiers et celui de la moitié.

Gonzague Gagnon était pompiste au garage Gagnon, seule station-service de Saint-Nicol. Et il partageait un petit logement, au-dessus du garage, avec Gaston Gagnon, mécanicien du garage Gagnon et vague cousin, tout le monde à Saint-Nicol étant plus ou moins cousin et s'appelant Gagnon. Mais Gonzague et Gaston n'avaient rien d'autre en commun que leur employeur et leur logement. Ils ne se parlaient pratiquement jamais, n'ayant rien à se dire. Gaston trouvait la passion de la course à pied ridicule, et Gonzague jugeait ridicule de ne pas avoir la passion de la course à pied.

❏

Sans avoir jamais vu de statistiques à ce sujet, Gonzague Gagnon savait que la plupart des hommes mouraient aux alentours de soixante-dix ans. Et il se disait que sa pratique de la course à pied l'aiderait à vivre un peu plus longtemps que l'âge auquel mouraient les vieux de Saint-Nicol. Jusqu'à soixante-quinze ans, peut-être.

Lorsque Gonzague Gagnon eut vingt-cinq ans, il calcula qu'il était arrivé au tiers de sa vie. Et il se résigna à affronter la partie la plus difficile de son existence, entre vingt-cinq et trente-sept ans et demi : cette plate et longue attente entre le tiers et la moitié.

Non pas que le premier tiers de sa vie ait été particulièrement fertile en événements. Sa naissance, six années d'école, la mort de sa mère et les centaines de milliers de litres d'essence déversés par ses soins dans les mêmes voitures et camions semaine après semaine en avaient été les seuls faits marquants jusque-là. Mais il n'avait pas trouvé le temps long, parce que ce premier tiers de son existence était justement le premier et que ce qu'il vivait alors, il ne l'avait pas encore vécu.

Le début du second tiers parut à Gonzague Gagnon excessivement répétitif et monotone – d'autant plus qu'il en avait pour douze ans et six mois avant d'atteindre une autre fraction importante de sa vie.

Il se mit à la recherche de distractions.

La télévision le faisait dormir. Boire plus d'une bouteille de bière aussi. Les deux principales distractions des Nicolois ne lui furent donc d'aucun secours.

Pendant ses vingt-cinq premières années, Gonzague Gagnon s'était contenté de rêvasser dans sa chaise berçante qu'il ne faisait même pas bercer. L'été, sur le balcon derrière le garage Gagnon, face aux champs où les vaches paissaient, pratiquement immobiles. L'hiver, dans sa chambre, porte fermée pour éviter d'entendre la télévision de Gaston Gagnon.

La conscience d'être dans ce long et ennuyeux intervalle entre le tiers et la moitié de sa
vie rendit à Gonzague Gagnon le temps encore
plus ennuyeux qu'il ne lui avait paru jusque-là.

C'est alors que s'ouvrit à Saint-Nicol une
bibliothèque publique. Le maire avait décidé de
se prévaloir d'un programme de subventions à
cet effet, car le camion du service d'incendies
avait besoin de réparations. Il demanda aux
Services de propagation de la culture en milieu
inculte une subvention d'établissement d'une
bibliothèque qui permit de réparer le camion. Il
resta deux cents dollars, que le maire, cons-
ciencieux et honnête, consacra effectivement à la
constitution d'une bibliothèque publique. Il fit
installer une tablette dans le local des pompiers
volontaires. Et il abonna la municipalité de Saint-
Nicol à une collection intitulée « Les Grands
Mystères de l'Univers ».

Cette collection, selon une publicité parue
dans les horaires de télévision, était formée de
livres passionnants, élégamment reliés et rehaus-
sés de nombreuses photos et illustrations, dont
plusieurs en couleurs. Il sembla au maire de Saint-
Nicol que cette collection plairait aux amateurs de
lecture, aux amateurs de reliures et aux amateurs
de photos et illustrations en noir et blanc et en
couleurs. Et il contempla bientôt avec satisfaction
les premiers volumes des « Grands Mystères de
l'Univers » soigneusement rangés sur leur tablette
dans le local des pompiers volontaires.

Gonzague Gagnon était pompier, bien que cela n'ait été qu'une distraction épisodique, les incendies étant peu fréquents à Saint-Nicol. De toute façon, lorsqu'il y en avait, les pompiers arrivaient toujours trop tard. Mais il s'était senti obligé de poser sa candidature, parce qu'il était le coureur le plus rapide du village et toujours rendu le premier sur les lieux.

Un jour, il découvrit les volumes empoussiérés. Il n'avait jamais lu un livre, et n'en avait même jamais tenu dans ses mains, à l'exception de manuels scolaires sales, usés, aux nombreuses pages arrachées.

Le premier volume de la collection s'intitulait *Et si vous pouviez...* Gonzague Gagnon le lut en deux nuits, assis dans le siège du conducteur du camion des pompiers. Il lut ensuit les autres volumes, même s'il lisait lentement, incapable de saisir le sens des mots sans les prononcer à voix haute. *Et si vous pouviez...* demeura son livre préféré. Il le relut une bonne douzaine de fois.

L'auteur de *Et si vous pouviez...* prétendait que toute personne avait des pouvoirs spéciaux, mais que la majorité des gens l'ignoraient. Il suffisait pourtant à chaque individu d'une recherche systématique pour découvrir quels pouvoirs lui avaient été donnés par la nature ou par une force supérieure.

C'est pourquoi le dernier chapitre de *Et si vous pouviez...* était constitué d'une liste de neuf cent un pouvoirs parapsychologiques. Chacun

était précédé de deux cases, «oui» et «non»,
dans lesquelles le lecteur pouvait faire une coche
selon qu'il se révélait ou non doté de cette
faculté. Voici quelques-uns des éléments de cette
liste.

Oui Non

☐   ☐   Faire léviter des petits animaux
            (chiens, chats, lapins, etc.)

☐   ☐   Faire léviter des meubles (chaises,
            pianos, téléviseurs).

☐   ☐   Changer la couleur des objets sans
            les peindre.

☐   ☐   Faire pleuvoir.

☐   ☐   Faire cesser les tempêtes de neige.

    Cette liste s'étendait sur vingt pages et ouvrit
à Gonzague Gagnon des perspectives fasci-
nantes.

    Il tenta chaque expérience. Chasser à l'œil,
par exemple, qui lui aurait permis d'abattre per-
drix ou lièvres d'un simple clin d'œil. Chauffer
de l'eau en y plongeant les mains. Donner instan-
tanément la réponse à des calculs mathématiques
fort complexes.

    Mais rien ne lui réussit. Les perdrix conti-
nuaient leur vol sans ralentir. Les lièvres déta-
laient à toutes jambes. L'eau restait froide dans la
casserole. Et Gonzague Gagnon donnait les
réponses les plus fantaisistes aux calculs les plus
simples.

    L'auteur de *Et si vous pouviez...* précisait que
ces pouvoirs n'étaient pas nécessairement

permanents, qu'on pouvait les acquérir ou les perdre en vieillissant, que certains ne fonctionnaient que le lundi chez certaines personnes, que les pouvoirs inexplicables avaient par définition tendance à apparaître et à disparaître inexplicablement.

C'est pourquoi Gonzague Gagnon relisait plusieurs fois par semaine la liste, qu'il savait presque par cœur. Et cette occupation finit par lui faire trouver bien moins long le temps entre le tiers et la moitié de sa vie.

D'autant plus que l'auteur de *Et si vous pouviez...*, tout en affirmant avoir fait de longues recherches pour dresser la liste de pouvoirs parapsychologiques la plus complète possible, encourageait ses lecteurs à faire leurs propres expériences.

Gonzague Gagnon laissa donc libre cours à son imagination. Ses courses à pied quotidiennes lui suggéraient de nombreuses possibilités : transformer en lait l'eau de la rivière Saint-Nicol... faire pousser le sarrasin sous la neige l'hiver... rapprocher les maisons... sculpter les nuages à sa ressemblance... faire chanter le kyrie par les vaches... transformer les piquets de clôture en cierges pascals... pourquoi pas ? Il suffisait de tout essayer. Un jour, quelque chose marcherait.

La télépathie retint longtemps son attention. Cela lui semblait plus « normal » que de faire voler un bœuf ou chanter une couleuvre. Ne lui était-il pas souvent arrivé de parler en même temps que son patron du même sujet, sans qu'ils se soient concertés ?

— Ce serait le temps de changer l'huile de la Ford, disaient-ils tous les deux au même moment.

À treize ans, lorsqu'il avait débuté dans ce métier, Gonzague Gagnon avait inventé un jeu : deviner si le conducteur de la voiture qui approchait de la station-service allait demander de la super ou de l'ordinaire. Mais il dut abandonner le jeu dès qu'il sut quels conducteurs prenaient de la super et lesquels de l'ordinaire. Et puis, ce jeu ne l'aidait pas vraiment à passer le temps, puisqu'il ne se jouait qu'à l'approche d'une voiture, au moment où Gonzague Gagnon allait devenir occupé.

Plusieurs années plus tard, Gonzague Gagnon revint donc à la télépathie en se disant qu'il était peut-être doué pour ce phénomène.

Il commença par tenter d'émettre des pensées. Par exemple, il fixait la nuque de son patron lorsque celui-ci lui tournait le dos. Et il tentait de lui donner des ordres : « Penche-toi, sors ton portefeuille, gratte-toi la fesse gauche. » Mais le patron ne réagissait jamais. Sauf une fois, lorsqu'il s'était retourné vers Gonzague Gagnon, qui lui ordonnait de se tourner vers lui, et lui avait demandé : « Qu'est-ce que tu as à me regarder comme ça ? »

Le pompiste avait bafouillé le classique : « Un chien regarde bien un évêque. » Le patron avait haussé les épaules et s'était remis à démonter la transmission de la Chevrolet de Nésime Gagnon. Forcé de reconnaître qu'il n'était pas doué pour l'émission télépathique, Gonzague Gagnon en avait conclu qu'il devait en contrepartie être excellent en réception de pensée.

D'autant plus qu'il vivait avec un sujet idéal : Gaston Gagnon, qui passait des heures devant son téléviseur, à regarder des émissions qui ne semblaient pas l'intéresser ; donc, qui passait des heures à penser.

Plusieurs soirées durant, Gonzague s'installa dans le fauteuil voisin de celui de Gaston. Il fermait les yeux, chassait de sa tête toute pensée et se concentrait, prêt à saisir la moindre réflexion, la moindre image mentale, les moindres bribes de phrase ou d'idée émanant de son collègue.

Mais, peut-être parce que Gaston ne pensait jamais à rien, Gonzague ne perçut jamais rien.

Il avait eu plus de succès avec Grognon, le chien de son patron, un bâtard albinos qui aimait jouer les chiens féroces mais qui avait peur des mulots. L'été, Gonzague Gagnon s'assoyait sur une chaise devant la station-service, à quelques pas de la niche. Et Grognon, assis sur ses pattes de derrière, le regardait. Gonzague Gagnon lui donnait des ordres : « Penche la tête, plie l'oreille gauche, cligne des yeux. » Et Grognon obéissait. Mais il n'y avait là aucun motif d'orgueil, car le chien n'obéissait pas aux ordres les plus complexes : « Aboie cinq fois, fais un saut périlleux, dis bonjour. »

Il n'y avait aucune gloire à faire faire des choses stupides à un chien stupide.

❏

Lorsqu'il atteignit son trente-cinquième anniversaire, Gonzague Gagnon avait renoncé à se trouver des pouvoirs paranormaux.

Il n'était plus qu'à deux ans et six mois de la moitié de sa vie. Et alors les mois et les années ne se mettraient-ils pas à défiler aussi rapidement que les kilomètres, une fois passée la moitié d'une course ?

Le matin de son anniversaire, Gonzague Gagnon mit ses chaussures de course et s'attaqua à un objectif qu'il s'était fixé depuis longtemps : courir dix kilomètres en trente-cinq minutes à son trente-cinquième anniversaire. Depuis quelques années, il s'était, année après année, fixé des objectifs semblables : trente-deux minutes à trente-deux ans, trente-trois à trente-trois ans et ainsi de suite. Jamais il n'y était parvenu. Mais cet objectif devenait de plus en plus à sa portée avec les années. N'avait-il pas réussi trente-six minutes la semaine précédente ?

Il était six heures du matin. Il avait deux heures pour courir ses dix kilomètres, revenir à pied, prendre une douche et descendre travailler.

C'était un beau matin de mai, et Gonzague Gagnon se réjouit une fois de plus d'être né en mai et non, comme la plupart des gens du village

conçus au printemps, en novembre ou décembre. Il courut les deux premiers kilomètres
plutôt lentement, pour bien s'échauffer les
jambes. Puis il allongea la foulée et pressa le pas.
Il atteignit le piquet du tiers trois minutes plus
tard. Comme d'habitude, il commença à res-
sentir un peu d'essoufflement. Mais, s'il voulait
faire moins de trente-cinq minutes, il ne fallait
pas ralentir, même si chaque pas semblait retar-
der le déroulement du temps.

Au loin, Gonzague Gagnon apercevait la
rivière Saint-Nicol. Juste de l'autre côté, il verrait
le piquet des cinq kilomètres. Mais ses jambes
commençaient à se faire lourdes. Devait-il ralentir, et risquer de ne pas faire ses dix kilomètres en
trente-cinq minutes ? Ou, au contraire, maintenir
sinon pousser la cadence, et risquer de ne pas terminer sa course ?

Un grondement lointain attira son attention.
C'était le train de voyageurs. Il siffla longuement,
et Gonzague Gagnon ne put résister à la tentation
de tourner la tête, même s'il savait que cela lui
ferait perdre une fraction de seconde.

Le train arrivait rapidement, sur la voie ferrée
parallèle au chemin, à sa droite, fonçant dans la
même direction que lui.

C'était toujours le même train, sans doute
toujours avec les mêmes passagers et le même
conducteur.

Gonzague Gagnon regarda droit devant lui
de nouveau. Le pont de bois qui enjambait la

rivière Saint-Nicol était tout près, maintenant, à une centaine de pas tout au plus.

C'est alors que Gonzague Gagnon s'étonna de ne pas avoir tenté d'exercer ses pouvoirs sur les objets mécaniques. Pourquoi avait-il toujours essayé de faire bouger des tables, des chaises, d'autres objets immobiles ? Ne serait-ce pas plutôt sur les objets mobiles – voitures, trains, camions – qu'un apprenti mécanicien serait le plus susceptible d'avoir de l'effet ?

Il jeta un coup d'œil à droite. Le train arrivait à sa hauteur et s'apprêtait à franchir le pont métallique sur la rivière Saint-Nicol en amont du pont de bois.

– Arrête, ordonna Gonzague Gagnon.

Il avait dit cela à mi-voix, par crainte de paraître ridicule. Même si le train avait eu des oreilles et avait fait moins de bruit, il est douteux qu'il eût pu l'entendre d'une telle distance.

Pourtant, le train freina. Ses roues se bloquèrent et grincèrent, soulevant des gerbes d'étincelles. Et la locomotive s'immobilisa, à quelques tours de roue du pont de métal. Gonzague Gagnon s'arrêta lui aussi, à quelques pas du pont de bois.

Le mécanicien et le serre-frein descendirent du train en gesticulant, le premier invectivant vraisemblablement le second. Ils se penchèrent sur la voie, examinèrent les roues, puis remontèrent. Le train repartit, avança lentement, prudemment. Gonzague Gagnon le regarda s'éloigner, prendre de la vitesse.

Il en oublia sa course. «Je peux faire arrêter les trains», se répéta-t-il plusieurs fois en marchant jusque chez lui. Mais, après mûre réflexion, il en vint à la conclusion que l'expérience n'était pas concluante.

Il attendit avec impatience le passage du train la semaine suivante. Lorsque le train fut sur le point de franchir la rivière Saint-Nicol, il dit encore «Arrête» et le train freina encore.

Pendant quelques semaines, cet été-là, Gonzague Gagnon prit un malin plaisir à faire arrêter le train, à regarder les mécaniciens sauter sur la voie, s'agiter. Il y eut dans la locomotive un nombre de plus en plus grand d'inspecteurs, de mécaniciens, de gens que Gonzague Gagnon devina être des spécialistes de toutes sortes, venus de plus en plus loin, de plus en plus haut.

On changea la locomotive. Puis le train entier. Les autorités firent remplacer un bout de la voie ferrée. Puis un autre. Rien ne changea. On commença dans le village à parler d'une malédiction, d'un chemin de fer hanté. Gonzague Gagnon souriait mais ne disait rien.

Toutefois, lorsqu'une équipe vint démolir le vieux pont de métal pour le remplacer par un neuf, Gonzague Gagnon se dit qu'il était allé trop loin et que, s'il persistait, le train risquait de disparaître pour de bon.

Les autorités furent ravies que le nouveau pont eût réglé le problème des arrêts inexplicables du train, même si ces arrêts demeuraient inexplicables.

❑

« Aujourd'hui, c'est le milieu de ma vie »,
songea Gonzague Gagnon par une belle matinée
de décembre.

Il se brossa les dents et enfila son collant et
son survêtement, en prenant bien soin de glisser
sous le tout une petite serviette pliée en quatre
pour protéger du froid la partie la plus sensible
de son anatomie.

Son chemin habituel était bien dégagé, mais
un peu glissant, avec un fond de glace qui incitait
à la prudence. Et Gonzague Gagnon renonça à
atteindre son objectif de trente-sept minutes et
demie à trente-sept ans et demi. « Ce sera pour
trente-huit ans », conclut-il avec philosophie, alors
que ses derniers échecs auraient pu le rendre
amer. Il avait été longtemps convaincu qu'il lui
serait éventuellement facile de courir dix kilomètres dans le nombre de minutes équivalant à
son âge. Mais il vieillissait plus vite que son
objectif ne se prolongeait, et il lui fallait chaque
année plus d'une minute supplémentaire pour
courir ses dix kilomètres.

Il courut ce matin-là sans ambition précise,
sans se presser, sans autre but que de prendre
l'air et de sentir son corps fonctionner harmo-
nieusement à trente-sept ans et demi.

Il songeait même avec plaisir que, puisqu'il
avait atteint le milieu de sa vie, la suite serait
facile et pleine d'événements. Que bientôt il en

serait aux deux tiers, puis aux trois quarts. Et que jamais plus il ne s'ennuierait comme il s'était ennuyé entre le tiers et la moitié.

Il courait donc allègrement, quoique pas très rapidement. Il approchait de la moitié : la rivière Saint-Nicol. Et il s'apprêtait à franchir le pont de bois, lorsqu'une silhouette noire sur le blanc de la rivière gelée attira son attention.

Il ralentit. Quelqu'un pêchait sur la rivière, assis sur une bûche et agitant une courte canne au-dessus d'un trou percé dans la glace.

Le pêcheur leva soudain les yeux vers lui, comme s'il avait senti une présence.

Gonzague Gagnon s'arrêta net. Le pêcheur était une femme. Il avait déjà vu des femmes pêcher ; mais une femme pêcher seule, ainsi, sur la rivière, il n'avait jamais vu ça.

Il décida de s'approcher et franchit le fossé, sentant la neige qui s'infiltrait dans ses chaussures. Il avança péniblement, s'enfonçant jusqu'à mi-cuisse à chaque pas.

Bientôt il fut sur la rivière dont le vent avait presque entièrement balayé la neige. La femme le regardait s'approcher. Il vit qu'elle était belle. Et cela l'intimida. Il eut envie de rebrousser chemin. Mais que penserait-elle de lui, après l'avoir vu venir vers elle ? Qu'il avait peur ?

Bien sûr, il avait peur. Et de plus en plus peur à mesure qu'il découvrait comme cette femme était belle. Qu'allait-il lui dire ?

Il s'arrêta à quelques pas d'elle.

— Bonjour, dit-il.

— Bonjour.

— Ça mord ?

Elle ne répondit pas. Gonzague Gagnon n'avait qu'à regarder la dizaine de perchaudes et les deux brochets dispersés autour d'elle, sur la glace. Les plus frais pêchés sautillaient encore avant de geler et de mourir.

Il resta un long moment sans bouger, à la regarder. Soudain, la femme donna un grand coup de sa canne. Elle se leva et tira hors du trou une belle perchaude frétillante. Gonzague Gagnon s'approcha pour détacher le poisson.

— Je suis capable, dit la femme en enlevant ses gants.

Gonzague Gagnon recula de deux pas. Il aurait aimé passer la journée là, à ne rien dire, à la regarder faire. Mais il se sentit obligé de parler. Longuement, il chercha un sujet de conversation intéressant ou qui, mieux encore, le rendrait intéressant, lui, Gonzague Gagnon.

— Je fais de la course à pied, dit-il enfin.

— Ça se voit, dit-elle.

Il faillit ajouter qu'il était apprenti mécanicien. Mais, pour la première fois de sa vie, il eut honte de son métier. Non pas que celui-ci lui ait paru soudain trop humble. Il était trop ordinaire. Sans doute y avait-il au moins un apprenti mécanicien dans chaque village du monde entier. Et peut-être des centaines dans la ville d'où venait la femme, parce que cela se sentait qu'elle venait de la ville.

Gonzague Gagnon chercha encore, sans rien dire, quelque chose à dire. Il y eut tout à coup un léger frémissement de l'air, à peine perceptible.

« C'est le train », songea-t-il en tendant l'oreille.

En effet, le frémissement se transforma en grondement sourd et lointain.

— C'est le train des voyageurs, dit Gonzague Gagnon.

La femme hocha la tête distraitement. Elle prêtait toute son attention à la pointe de sa canne, secouée de petites saccades.

Gonzague Gagnon se retourna. Le train était maintenant visible et grossissait rapidement.

— Je suis capable de faire arrêter les trains, dit-il.

Il regretta aussitôt ces paroles. La femme l'avait regardé d'un regard incrédule et indifférent, comme on regarde un fou.

« Je vais lui montrer que je suis capable », songea-t-il.

— Vous allez voir.

Mais il craignit soudain que son pouvoir ne se soit atténué avec le temps. Il courut donc vers la voie ferrée, pour être plus près du train.

Un second doute s'empara de lui : la jeune femme ne risquait-elle pas de trouver parfaitement inutile cette faculté de faire arrêter les trains en marche ? Gonzague Gagnon n'arriverait-il pas plus sûrement à l'impressionner s'il faisait en même temps une démonstration de son courage ?

Il gravit donc le remblai et s'installa face au train, sur une des traverses de la voie ferrée. Le train n'était plus qu'à deux ou trois cents mètres. Gonzague Gagnon sentit vibrer la traverse sous ses pieds. Il attendit quelques secondes encore. Puis il mit les bras en croix et ferma les yeux.

— Arrête, dit-il d'une voix ferme, suffisamment forte pour que la jeune femme l'entende.

Les roues grincèrent à lui arracher les tympans, mais le rassurèrent sur son pouvoir. Le train s'arrêta si près qu'il sentit sur ses joues la chaleur de la locomotive.

Il ouvrit les yeux et tourna aussitôt son regard vers la femme. Elle était toujours là, debout, silhouette noire au milieu du cercle formé par les poissons sur la glace. Elle était trop loin pour qu'il voie si elle le regardait. Mais pouvait-elle ne pas le regarder ?

Des voix attirèrent son attention.

— Ça fait deux ans que c'était pas arrivé, dit une voix bourrue.

Un instant plus tard, Gonzague Gagnon se retrouvait nez à nez avec deux hommes en salopette.

— Qu'est-ce que tu fais là ? lui demanda le plus gros des deux.

— Je voulais juste faire arrêter le train, bredouilla Gonzague Gagnon.

— Tu te penses drôle ? fit le gros homme.

Le plus petit des deux ne dit rien, mais lança son poing sur le nez de Gonzague Gagnon.

Ce petit homme était un ancien champion de boxe, ce qui explique que Gonzague Gagnon fut littéralement soulevé de terre. Il battit l'air de ses bras, s'attendant à retomber sur la voie ferrée ou à rouler sur le remblai.

Mais il était si près du pont qu'il tomba dans la rivière à un endroit où la glace était mince.

Il fut aussitôt happé par le courant. Il tenta de se retenir par les ongles à la paroi rugueuse de la glace au-dessus de lui, mais le courant était trop fort. Et il se dit qu'il valait mieux s'abandonner et retenir son souffle. Le fleuve libre de glace n'était pas loin et un homme en forme comme lui n'avait qu'à se laisser entraîner par les flots jusqu'à ce qu'il retrouve l'air libre.

Il resta donc sur le dos, dans l'eau, se poussant avec les paumes sur la paroi de glace pour aller plus vite.

Il vit une longue ombre à travers la glace et au bout de cette ombre deux taches plus sombres. Il devina que c'étaient les pieds de la femme. Il faillit ouvrir la bouche pour lui dire de ne pas s'inquiéter, qu'il reviendrait bientôt. Mais il se rappela qu'il était dans l'eau. Il garda donc la bouche bien close, même si ses poumons devenaient brûlants dans sa poitrine. Quelques instants plus tard, il décida pourtant d'avaler un peu d'eau, car cela serait sûrement moins pénible que de continuer à retenir son souffle.

Il reconnut encore à travers la glace l'ombre des grands saules en bordure du fleuve. Et il songea qu'il était presque rendu.

Puis il ne vit plus rien.

« Ça se peut pas, pensa-t-il, je suis seulement au milieu de ma vie. »

❏

Au printemps, Gaston Gagnon, qui avait de la religion, vint clouer une barre transversale au piquet qui, de l'autre côté de la rivière, avait marqué la mi-course de Gonzague Gagnon.

Première publication :
*Dix contes et nouvelles fantastiques
par dix auteurs québécois*, Les Quinze, 1983.

Mon clone à moi

J'ai perdu mon clone.

Ce n'est pas tellement grave. Aujourd'hui, à part une petite toux de rien du tout, je ne suis pas malade. Et mon clone ne sert qu'à ça : tester mes remèdes, quand je souffre d'une simple grippe ou d'une pneumonie double.

C'est papa qui me l'a fait quand j'étais tout petit.

C'était un homme très intelligent, papa. Il n'allait jamais travailler. Quand il avait besoin d'argent, il téléphonait à un numéro et le lendemain on venait lui donner de l'argent à la porte. Je fais pareil, maintenant qu'il est mort. C'est lui qui m'a montré.

Papa était un savant tellement fort qu'il a été rejeté par les autres savants à cause de ses idées pas comme les autres. La preuve : c'est lui qui a fait le premier clone humain, alors que personne dans ce temps-là ne pensait que ce serait possible, même pas avec des moutons.

Je ne me souviens de rien, parce que je n'avais que quelques jours. Maman était morte juste après ma naissance. Et j'avais fait une jaunisse. Fallait-il me donner des vitamines ou de la pénicilline ? C'est à ce moment-là que papa a eu l'idée de me fabriquer un clone tout à fait comme moi, du même âge et tout. Il l'a installé à la cave et lui a donné des vitamines. Ça n'a pas marché. Il a essayé la pénicilline. Et mon clone a pris du mieux en même pas deux jours. Alors, papa m'a donné de la pénicilline à moi aussi. Deux jours après, j'allais bien, comme Paul-Pierre.

Parce que c'est comme ça qu'on l'appelle. Papa lui a donné un nom même si ce n'est rien qu'un clone. Moi, je m'appelle Pierre-Paul. C'est ça qui a donné à papa l'idée de Paul-Pierre.

Le seul problème avec mon clone, c'est qu'il faut qu'il reste toujours parfaitement pareil à moi. Comme on le garde à la cave, il n'a pas de lumière du soleil. Alors, papa a mis des rideaux épais dans toutes les fenêtres de la maison. Comme ça, je ne subis pas les effets des rayons du soleil, moi non plus. En plus, on boit la même quantité d'eau, on mange les mêmes aliments. Et je reste exactement comme Paul-Pierre. Ou plutôt, c'est lui qui reste comme moi, parce que le clone c'est lui, pas moi.

Je ne suis jamais allé à l'école. Seulement chez le médecin quand il ne pouvait pas venir à la maison.

Avec ma santé fragile, j'ai eu des tas de maladies. Mais ce n'était pas bien grave, parce qu'il y avait Paul-Pierre à la cave. Papa me faisait examiner par un médecin, pour savoir ce que j'avais. Il testait sur Paul-Pierre le médicament que le docteur prescrivait, puis un autre et un autre encore si ça ne donnait rien. Des fois, ça rendait Paul-Pierre encore plus malade, mais ce n'était pas grave parce que ce n'était pas moi. Dès qu'il y avait un remède qui faisait de l'effet sur lui, papa m'en donnait à moi aussi et j'étais guéri. Diarrhée, otite, rougeole… les maladies ne m'ont jamais fait mal longtemps.

C'est dommage que ce ne soit pas permis de fabriquer des clones humains, parce que si vous aviez le vôtre, vous vous demanderiez comment vous avez fait pour vous en passer pendant toutes ces années.

Un jour, papa a eu un cancer de quelque chose. Il n'avait pas de clone, lui, et il était trop vieux pour s'en faire un. Il est mort à la maison et ils sont venus le chercher. Ils m'ont dit de ne pas m'inquiéter, que si j'avais besoin d'argent, je n'avais qu'à téléphoner comme papa m'avait montré avant de mourir. Ils m'ont fait examiner par un médecin, qui m'a trouvé pas si mal pour quelqu'un qui ne fait pas d'exercice et qui ne sort presque pas de la maison. Il m'a recommandé de changer mon mode de vie. Je ne l'ai pas écouté, parce que papa n'aurait pas voulu. Si je cesse de tout faire comme mon clone et que j'ai une maladie mortelle, je ne pourrai plus tester mes médicaments sur personne et je vais finir par mourir. C'est papa qui l'a dit.

Je fais donc encore comme quand papa était là : je commande de la pizza et des mets chinois et de l'eau en bouteille. Et je nourris Paul-Pierre exactement comme moi.

Quand papa était là, on ne le laissait jamais monter de la cave.

Maintenant, de temps en temps, je demande à Paul-Pierre s'il veut prendre une bière avec moi. Il ne sait presque pas parler, mais il fait des progrès. Il dit oui et non. J'espère lui apprendre à dire merci, mais c'est deux fois plus long.

Ce soir, je suis très inquiet. Tout à l'heure, je suis allé aux toilettes, à cause de la bière. Quand je suis revenu dans la cuisine, Paul-Pierre n'était plus là. Il n'y avait que sa bouteille de bière, à moitié vide.

J'ai cherché partout dans la maison. Pas de Paul-Pierre.

Le pire, c'est que je ne peux pas finir ma bouteille de bière à moi. Quand on a un clone, il faut tout le temps manger et boire la même chose que lui et dans les mêmes quantités, sinon il ne sera plus bon à rien.

                                                    Mercredi

Je viens de voir Paul-Pierre à la télévision !

On le voyait mal parce que c'était juste une caméra de surveillance dans un dépanneur. Mais moi, je l'ai reconnu tout de suite : il a un visage exactement comme mon visage dans mon miroir.

Il est allé dans un dépanneur. Il a mangé un petit gâteau et quand le commis a essayé de l'empêcher de partir sans payer, il l'a assommé avec une bouteille de Coca-Cola.

J'ai demandé au magasin de pizza de m'apporter un petit gâteau et une bouteille de Coca-Cola, pour manger la même chose que Paul-Pierre. L'homme a demandé quelle sorte et quelle grosseur de bouteille. J'ai dit n'importe quelle sorte, n'importe quelle grosseur. C'était très bon.

Quand même, je suis un peu embêté, parce qu'une fois, à la télévision, il n'y a pas si longtemps, ils ont parlé des clones. Les clones, ça a les mêmes empreintes digitales, les mêmes cheveux, les mêmes crachats, le même sperme. Si Paul-Pierre a craché ou spermé ou perdu un cheveu ou touché quelque chose avec ses empreintes digitales, la police va penser que c'est moi qui ai frappé le commis avec la bouteille. Et je ne pourrai pas prouver le contraire si je ne retrouve pas Paul-Pierre.

Je ne sais même pas où il est. Et je ne serais pas capable de le remplacer parce que papa ne m'a pas montré comment faire.

À la télévision, la même fois, ils ont aussi expliqué comment fabriquer un clone, parce c'était une émission sur les clones.

Il y a trois manières. Mais je suis sûr que papa avait sa manière à lui. Ça fait quatre.

La manière la plus simple, c'est de croiser deux individus qui sont nés ensemble mais qui sont un gars et une fille. On croise ensuite leurs descendants trente fois ensemble et on finit par avoir deux individus tellement pareils qu'on peut prendre le cœur de l'un et le mettre à la place de l'autre et ça marche tout seul. Mais il me faudrait une sœur et je n'en ai jamais eu.

Il y a aussi la fécondation en vitraux. On cultive l'embryon et on sépare ses cellules avant qu'elles soient devenues seize. On remet une cellule dans une femelle et ça finit par faire un organisme entier. Pour ça aussi, je manque de femelle.

Pour la troisième manière, on enlève un noyau de cellule dans une femelle, on le remplace par un noyau qui vient d'une autre femelle et ça forme un embryon pareil à la deuxième femelle. Mais là, c'est encore pire : ça me prendrait deux femelles.

Papa, lui, il a fait son clone avec même pas une. Il était vraiment très intelligent.

Jeudi

La porte a sonné. Au début, je ne voulais pas répondre parce que je n'avais pas commandé de chinois ni de pizza. Mais elle a sonné encore. Il a bien fallu que j'aille ouvrir.

Ils étaient deux. Un homme et une femme, habillés en policiers. Quand ils m'ont vu, ils ont eu l'air surpris. Ils ont regardé derrière eux. Il y avait une voiture de police. Sur la banquette arrière, Paul-Pierre était là. Ils m'ont regardé encore.

La femme a dit : « C'est votre jumeau ? »

Je n'ai pas répondu parce que papa m'a fait jurer avant de mourir de ne jamais dire à personne que j'ai un clone.

L'homme a dit : « Je pense que ce serait mieux si vous veniez avec nous. »

❏

Dans la voiture de police, je n'ai pas grondé Paul-Pierre. Ce n'est pas de sa faute, c'est seulement un clone. On s'est juste mis à tousser en même temps. Ça arrive souvent comme ça : quand je suis malade, mon clone l'est tout le temps, lui aussi. Et de la même maladie. Sinon les remèdes ne marcheraient pas.

❏

Au poste de police, ils m'ont tout expliqué.

Ils ont arrêté Paul-Pierre ce matin, au même dépanneur qu'hier. Il venait encore de voler un petit gâteau.

« Quelle sorte de gâteau ? » j'ai demandé, parce que ça aurait été bon à savoir, au cas où je n'aurais pas mangé le même, hier.

Ils ne savaient pas.

J'ai dit : « Si vous pouviez le savoir, j'aimerais ça en avoir un de la même sorte. »

J'ai eu peur d'avoir trop parlé. Mais les policiers n'ont pas compris.

En tout cas, ce matin, les agents sont arrivés tout de suite au dépanneur parce qu'ils n'étaient pas loin. Ils ont interrogé Paul-Pierre. Il a répondu oui et non. Mais pas toujours la même chose à la même question.

Finalement, un policier a eu l'idée de l'emmener en auto de police faire le tour du quartier pour voir s'il reconnaîtrait l'endroit où il habite. En passant devant chez nous, Paul-Pierre a crié : « Oui, non, oui ! »

J'ai dit : « Il ne s'était pas sauvé par exprès. Il s'était juste perdu. »

La femme a dit : « C'est ce qu'on a pensé, nous autres aussi. »

❏

Un peu plus tard, quelqu'un est arrivé avec des papiers.

Ce sont les papiers de l'hôpital pour ma naissance. C'est écrit qu'on était deux bébés jumeaux. Maman est morte entre les deux. Le deuxième est né par césarienne, ils ont dit.

Ce que les policiers ne comprennent pas, c'est qu'après il n'y a plus de trace de l'autre bébé dans les papiers du gouvernement et de l'Église.

Il n'a pas été baptisé, pas confirmé, pas marié, pas mort, rien. Il n'a même pas de nom.

Ça ne peut pas être Paul-Pierre, parce que c'est un clone, pas un césarien. En plus, Paul-Pierre, ce n'est pas son vrai nom. C'est juste papa qui l'a appelé comme ça.

Moi, ils ont tous mes papiers. Ça prouve que je ne suis pas un clone, mais je ne leur ai pas dit ça, non plus, parce qu'ils le savent déjà.

Vendredi

Un homme et une femme sont venus me voir au poste de police. Pas les mêmes qu'hier. Il y avait un psychologue et une travailleuse sociale.

Ils disent qu'ils ont tout compris. Mais ils ont tout compris de travers.

À cause des papiers de l'hôpital qui disent que je suis né, puis que maman est morte, puis que mon jumeau est né après, ils s'imaginent que papa était fâché contre mon jumeau parce qu'il avait tué maman. C'est pour ça qu'il l'aurait gardé dans la cave tout le temps.

En plus, la fortune de maman devait être séparée en parts égales entre papa et chacun de ses enfants. Moins il y avait de parts, plus ça lui faisait de l'argent, à papa.

Moi, je ne vois pas ce que ça prouve.

La preuve que papa n'était pas fâché contre Paul-Pierre, c'est que papa ne l'a jamais puni. Même que, chaque fois que j'étais malade, c'était lui qui avait les médicaments le premier. Ça aussi, ça prouve qu'il était un clone, pas un jumeau.

Mais ça se sent qu'ils ne veulent pas me croire, alors je fais mieux de ne rien dire. Ils sont assez mêlés comme ça.

Ils m'ont dit que Paul-Pierre n'aura pas de procès pour le commis qui est encore entre la vie et la mort. Ils vont l'envoyer dans une institution avec des médecins et tout le reste, parce qu'il a des problèmes de développement physique et intellectuel.

Là, ça m'a effrayé. Si Paul-Pierre est en institution, qu'est-ce que je vais faire quand je vais avoir la méningite, le cancer du sein, la fièvre aphteuse, les dix fonctions érectiles et toutes ces maladies dont ils parlent tout le temps à la télévision ?

J'ai dit : « J'aimerais ça, y aller avec lui. »

La travailleuse sociale a dit : « Si c'est vous qui le demandez, ça va aller plus vite. »

Elle m'a fait signer au bas d'un papier. J'ai mis un X. Elle a dit que ça va pareil.

Je suis content de rester avec Paul-Pierre, parce que je tousse de plus en plus fort. Ça pourrait être une bronchite. Ou une tuberculose, on ne sait jamais.

Mais même ça, ça ne serait pas tellement grave, maintenant que j'ai retrouvé mon clone à moi.

Première publication :
Québec Science, novembre 2001.

Tous des imbéciles

– Je peux entrer ?

C'est Marguerite Deshaies. Sur sa poitrine, elle serre une grande enveloppe blanche.

– Oui, entre.

Elle referme la porte derrière elle, prend une profonde inspiration, fait mine de ne pas se résoudre à parler. Je la laisse jouer son petit jeu de grande conspiratrice.

– J'ai trouvé la cause du SIC, dit-elle enfin en s'assoyant et en posant l'enveloppe sur ses genoux.

Marguerite Deshaies est professeur de botanique artificielle à l'université où je suis titulaire du cours d'aménagement paysager suburbain.

J'apprécie sa compagnie. Elle est jeune, jolie, imaginative, intelligente, passionnée. J'ai beau m'être juré depuis vingt ans de demeurer célibataire jusqu'à la fin de mes jours, elle me donne parfois la tentation de changer d'avis.

J'ai dit qu'elle est intelligente ? Oui, mais sans exagération. Pas au point, en tout cas, de trouver à elle seule l'origine du syndrome d'insuffisance cérébrale − cette nouvelle maladie sur laquelle plusieurs des plus brillants chercheurs du monde entier se penchent en vain depuis des semaines.

Avec son enveloppe sur les genoux, Marguerite me fait penser à une étudiante qui vient me présenter un de ses travaux, et qui a hâte de connaître ma réaction tout en la redoutant. Elle croise les jambes, puis les bras. Elle attend que je l'interroge. Je me sens forcé de jouer son jeu.

− Ainsi, tu as trouvé la cause de la maladie des vedettes ?

(C'est le surnom que les journaux à sensation donnent au SIC, parce que plusieurs personnes de grande réputation, dans tous les domaines des arts, des sciences et même des sports et de la politique, en sont décédées.)

− Oui, répond Marguerite.

Elle se tait. Elle préfère que je l'interroge, que je lui arrache les mots un à un. Je soupire, parce que je trouve ce procédé infantile. Mais comment refuser de m'y plier ?

− Alors, qu'est-ce que c'est, cette cause ?

Le regard de Marguerite se met à pétiller. Elle savoure d'avance ce qu'elle va me dire, et cela m'agace suprêmement.

− L'intelligence.

− L'intelligence ?

Elle prend plaisir à faire semblant de me prendre pour un imbécile. Et je me sens effectivement un peu idiot à répéter ainsi ce qu'elle dit, dans l'espoir que cela me donnera le temps d'en découvrir le sens. Mais je ne trouve rien.

— Oui, l'intelligence, reprend-elle. Le SIC s'attaque aux personnes les plus intelligentes de la société.

Ai-je l'air incrédule, ou cela se voit-il que je ne comprends rien à ce qu'elle dit ? Toujours est-il qu'elle se résout enfin à sortir une première feuille de l'enveloppe posée sur ses genoux.

— Rhyzom, Stem et Seringa, récite-t-elle. Les trois plus grands joueurs d'échecs de notre époque. Morts tous les trois il y a quatre mois. Cela aurait dû suffire à mettre la puce à l'oreille des journalistes, des gouvernements et des chercheurs, non ? Pas du tout : ce sont tous des imbéciles, ceux-là. La preuve, c'est qu'il n'en meurt pas beaucoup.

Elle est d'une mauvaise foi évidente. Pas la peine de la contredire.

— Ainsi, ma chère Marguerite, la mort de trois grands maîtres d'échecs prouve que le SIC s'attaque surtout aux gens intelligents ?

J'ai presque envie d'ajouter : « Si tu es si intelligente, comment se fait-il que tu sois encore vivante ? » Mais je préfère garder cet argument en réserve.

— Le SIC ne s'attaque pas surtout aux gens intelligents. Il s'attaque seulement aux gens intelligents. Écoute…

Et elle continue la lecture de sa liste. Il y a là des sommités dans tous les domaines, toutes mortes récemment et, à ce que semble croire Marguerite, toutes victimes du SIC. Un président de république africaine. Neuf Prix Nobel, surtout de physique et de chimie. Plusieurs artistes, écrivains et cinéastes. Même une vedette de hockey. Et aussi une douzaine d'autres personnes pour lesquelles Marguerite Deshaies semble avoir la plus haute considération, bien qu'il y ait quelques noms que je n'ai jamais entendus. Mais je trouve plus simple de continuer à hocher la tête comme si je connaissais ces gens-là moi aussi, plutôt que de poser des questions et de me faire répondre : « Comment, tu ne connais pas le plus grand ceci ou le plus grand cela de notre époque ? »

— Ici même, Racine et Pépin sont morts, ajoute Marguerite en remettant sa liste dans l'enveloppe.

— Racine, passe encore. Sa théorie de la répulsion de la matière est géniale, à ce qu'on dit. Mais Pépin, qu'est-ce que tu lui trouvais ?

— C'était le plus brillant esprit de cette foutue université, réplique Marguerite avec colère. Tu ne lui as jamais parlé ?

— Non, pas vraiment.

— C'est vrai, toi, tu ne parles qu'aux jolies femmes.

Est-ce un compliment ou une insulte ? J'en retire, en tout cas, un certain plaisir.

Je dois reconnaître que Marjolaine Pépin n'était pas belle, quoique certains collègues aient prétendu qu'elle avait de beaux yeux. Je dois aussi admettre qu'elle avait une excellente réputation comme professeur de statistique. Mais de là à lui accorder un certificat de génie, il y a une marge. D'ailleurs, qu'en ferait-elle, maintenant qu'elle est morte ? Je préfère détourner la conversation.

— Pourtant, il paraît que le SIC touche plus les femmes que les hommes.

Cette fois, Marguerite fait mine de se lever. Elle est furieuse.

— Excuse-moi, je plaisantais, dis-je pour la calmer. Ce que je voulais dire, c'est qu'il n'y a pas que des Prix Nobel qui sont morts. Le SIC a tué des gens de toutes les classes sociales.

J'ai réussi à faire oublier ma gaffe. Cette fois, Marguerite prend un air grave, fronce les sourcils, baisse le ton.

— Sais-tu comment j'ai eu la preuve que le SIC s'attaque uniquement aux gens intelligents ?

— Non.

— Le journal d'hier parlait d'une clocharde trouvée morte du SIC, rue Saint-Louis.

— Oui, j'ai lu ça.

— Ce matin, je suis allée à la morgue et j'ai demandé à voir les effets personnels de cette femme. Devine ce que j'ai trouvé dans le fond de son cabas ?

Je ne devine pas.

— Une carte de Mensa !

Mensa, c'est cette société qui prétend n'admettre que des gens d'intelligence supérieure. J'avais, dans ma jeunesse, songé à m'y inscrire, mais je ne l'avais pas trouvée dans l'annuaire du téléphone.

— Je suis prête à parier, poursuit Marguerite, que les autres personnes démunies mortes du SIC avaient elles aussi une intelligence supérieure à la moyenne.

J'ai du mal à ne pas rire. La théorie de Marguerite est tellement cousue de fil blanc que je ne sais trop par quel bout l'attaquer.

— Il y a des tas de gens intelligents qui n'ont pas le SIC. Le doyen, par exemple…

— Le doyen est un vieil imbécile doté d'une mémoire d'éléphant, tranche Marguerite, catégorique. Mais son tour viendra peut-être un jour, à lui aussi.

Je ne comprends pas.

— Oui, poursuit-elle. À mon avis, le SIC s'attaque à des gens de moins en moins brillants. Regarde…

Elle sort une autre feuille de son enveloppe, mais ne me la tend pas.

— Je me suis concentrée sur les joueurs d'échecs, parce que ce sont les gens dont l'intelligence est en quelque sorte mesurée par leur classement international. Les premières semaines, les champions sont morts. Les semaines suivantes, d'autres grands maîtres internationaux ont commencé à mourir. La semaine dernière, c'étaient plusieurs simples maîtres…

— Tu veux dire que le SIC s'attaque aux gens dans l'ordre décroissant de leur quotient intellectuel, et que si ça continue il ne restera plus sur notre planète que des imbéciles ?

— Exactement.

J'éclate de rire.

— Chère Marguerite, tu as beaucoup d'imagination. Mais si tu es si intelligente, comment se fait-il que tu sois encore vivante ?

Marguerite ne dit pas un mot. Elle met simplement les doigts de sa main droite à sa gorge et défait les boutons du haut de son chemisier. Par l'échancrure, j'aperçois le début de la rondeur d'un sein. Elle ouvre encore un peu son corsage et j'aperçois la tache de vin du SIC — celle dont les journaux ont tant parlé, et qui est le seul symptôme apparent de la mystérieuse maladie. Dans deux ou trois jours tout au plus, Marguerite sera morte. Je bredouille :

— Excuse-moi. Il faut faire quelque chose.

— Il n'y a rien à faire, tu le sais bien.

Je reste là, devant elle, ignorant comment réagir. J'aimerais qu'elle verse une larme ou se mette à pleurer franchement ; j'irais alors près d'elle et je la serrerais dans mes bras. Mais non, elle garde son air de jeune femme qui contrôle parfaitement la situation.

— Prends ça, me dit-elle en me tendant sa grande enveloppe. Ce sont mes notes sur le SIC. Je sais que ce ne sont pas des observations de spécialiste, mais peut-être trouveras-tu quelqu'un, au Centre de recherche immunitaire, qui en fera bon usage.

Sur ce, elle se lève, se dirige vers la porte. Je dis :

— Encore une question.

— Oui ?

— Pourquoi me confier ça à moi ?

Elle sourit.

— Parce que tu ne risques pas de mourir demain matin.

❏

J'apprends aujourd'hui, par le journal, que Marguerite Deshaies est morte hier — deux jours après notre conversation.

Sont aussi décédés, le même jour et de la même cause, le chef de l'orchestre symphonique et un prisonnier condamné à perpétuité pour le meurtre d'un petit garçon. J'ai envie de téléphoner à la prison pour demander si on connaît le quotient intellectuel du prisonnier décédé. Mais je ne saurai pas quoi répondre si on me demande la raison de mon appel.

Je vais plutôt au Centre de recherche immunitaire. Je demande à voir Narcisse Laplante, qui était dans ma classe au collège et qui est un de nos chercheurs les plus réputés.

On me dirige vers la salle d'informatique. Une grande table est couverte d'imprimés d'ordinateur. Laplante est seul, penché sur la table, à examiner des données.

Il lève vers moi un regard fatigué.

— Bonjour. Tu veux me parler ?

— Oui.

— À quel sujet ?

— Le SIC.

— Ça tombe bien, je ne m'occupe que de ça.

Je tends à Laplante l'enveloppe que m'a confiée Marguerite.

— Ce sont les notes d'un professeur de ma faculté, Marguerite Deshaies.

— Celle qui vient de mourir ? Jolie fille. Intelligente, à part ça. Trop, peut-être. Je suis déjà sorti avec elle.

Je suis ravi : Laplante vient de me servir l'entrée en matière idéale pour un sujet que j'ignorais comment aborder.

— Justement, elle soutenait que le SIC s'attaque d'abord aux personnes les plus intelligentes.

— C'est une théorie intéressante. Malheureusement, elle ne tient pas la route. On y a songé tout de suite, tu penses bien. Mais ce n'est pas parce qu'une maladie s'attaque au cerveau qu'elle est causée par l'intelligence. La syphilis, par exemple, finit par causer la débilité mentale. Pourtant, j'ai rencontré de parfaits imbéciles qui l'avaient attrapée.

Laplante cherche parmi les papiers étalés sur la grande table.

— Ah, voilà les statistiques les plus récentes du B.I.C.L.S.I.D.

— Le B.I.L...

– Le Bureau international de coordination de la lutte contre le syndrome d'insuffisance cérébrale. Regarde…

Je me penche sur les longues colonnes de chiffres, et je ne vois que de longues colonnes de chiffres. Je préfère laisser parler Laplante.

– On n'a pas de statistiques sur le quotient intellectuel des victimes du SIC, puisqu'il est impossible de déterminer le Q.I. d'une personne qui vient de mourir. On ne l'a que pour un mort sur cent. C'est insuffisant comme base statistique. La seule chose qui nous a fait croire un moment que le SIC pouvait avoir un rapport avec l'intelligence, c'est que de nombreux grands personnages en sont morts. Mais il y a aussi des milliers d'illustres inconnus au nombre des victimes. Si on examine les chiffres de manière globale, on se rend compte que les groupes les plus touchés sont les femmes, les Noirs, les moins de trente ans et quelques groupes minoritaires.

– Et les groupes les moins affectés ?

Laplante cherche un autre imprimé d'ordinateur, le trouve rapidement. Il soupire.

– La liste est longue. Parmi les groupes sociaux les moins touchés par le SIC, on trouve notamment : les hommes politiques, les Blancs, les juges, les hommes d'affaires, les policiers, les droitiers, les militaires… et j'en passe. Mais il faut faire attention : ce ne sont que des déviations statistiques. Chez les femmes, l'indice du SIC n'est que de 101,2. Chez les Noirs, 100,9. Chez les policiers, 98,7. Les juges ont le plus fort écart : 96,5. Ce sont donc des écarts insignifiants, même s'ils portent déjà, dans le monde entier, sur des dizaines de milliers de décès.

Incapable de tirer moi-même une conclusion, je demande :

— Qu'est-ce que tu en conclus ?

— Que la théorie de l'intelligence comme principal facteur d'attraction du SIC est absolument farfelue.

— Je ne vois pas très bien.

— Faisons la preuve par l'absurde. Imaginons que le SIC s'attaque aux personnes les plus intelligentes et que ces personnes soient proportionnellement plus nombreuses chez les femmes et les Noirs. Et supposons que nous l'annoncions publiquement. Si tu étais femme ou noir, et à plus forte raison femme et noire, est-ce que tu ne t'imaginerais pas que les mâles blancs, qui sont responsables des neuf dixièmes des travaux de recherche sur le SIC, font exprès de ne pas trouver de remède ?

— Effectivement, à leur place, je réclamerais que les femmes et les Noirs participent plus aux travaux de recherche.

— Oui, mais alors, si les femmes et les Noirs sont plus intelligents et meurent plus vite, ils ne pourraient pas poursuivre bien longtemps leurs recherches. On n'en sortirait pas : il faudrait confier de nouveau ces recherches aux blancs mâles, moins intelligents et moins aptes à trouver un remède, mais plus susceptibles de survivre.

— C'est compliqué.

— Il est impossible d'associer le SIC à l'intelligence. Il doit avoir une autre cause. Elle est là, quelque part. Et je la trouverai.

Il fait un large geste englobant tous les imprimés d'ordinateur dispersés sur la grande table et sur le plancher. Son allure déterminée me rassure. Il me tend l'enveloppe de Marguerite Deshaies sans même l'avoir ouverte.

— Garde ça en souvenir de ton amie.

❑

Ce matin, le journal m'apprend que le SIC prend des proportions pandémiques. Dans toutes les grandes villes du monde, des centaines de gens en meurent tous les jours. Les gouvernements multiplient les budgets consacrés à la lutte contre la maladie. Mais, comble de malheur, plusieurs des chercheurs les plus réputés ont été parmi les premiers touchés.

Tout cela m'angoisse un peu. Heureusement, ce matin, je ne donne pas vraiment de cours. Une étudiante doit lire son exposé sur la répartition des couleurs dans les jardins de fleurs vivaces. Je sais que cet exposé sera intéressant, puisque Rose Desjardins (elle m'a dit un jour avoir choisi la carrière d'architecte paysager uniquement à cause de son nom) est un esprit original. Ses exposés ne plagient jamais les manuels ou les encyclopédies. Ils sont toujours fondés sur des observations personnelles, souvent amusantes.

Je n'ai qu'à présenter brièvement le sujet et aller m'asseoir au premier rang de l'amphithéâtre, écouter, puis faire quelques commentaires.

Mais le cours devrait être commencé depuis quelques minutes, et Rose Desjardins n'est toujours pas arrivée. Cela ne m'étonne guère, car elle est souvent en retard à mes cours. Je me contente de regarder ma montre à quelques reprises pour que les étudiants voient bien que leur camarade est en retard.

Une jeune fille lève la main, timidement.

— Oui, Lafleur ?

— Vous n'avez pas lu le journal, monsieur ?

— Je l'ai lu en diagonale. Pourquoi ?

— Desjardins est morte. Le SIC.

Je suis atterré. J'enseigne depuis vingt-cinq ans et c'est la première fois que j'ai le malheur de perdre ainsi une élève juste au moment où elle doit donner un cours à ma place. Et je n'ai rien préparé d'autre.

Lafleur continue :

— Elle m'avait remis son exposé pour que je le lise à sa place, si vous n'y voyez pas d'objection.

— C'est une excellente idée, dis-je avec soulagement.

Je laisse l'estrade à Lafleur et je m'efforce d'écouter l'exposé de Desjardins. Effectivement, c'est un texte original, dans lequel je ne reconnais pas une seule phrase susceptible d'avoir été glanée ailleurs. Desjardins y soutient que, contrairement à la traditionnelle recherche de l'harmonie des couleurs, il faut plutôt accentuer les contrastes violents, moins lassants à la longue. Je ferme les yeux et j'imagine les exemples audacieux qu'elle propose, et ses idées me semblent à la fois choquantes et bizarrement sensées. Je me prends à regretter d'avoir toujours donné à Desjardins des notes très moyennes, alors qu'elle était (je m'en rends compte bien tard) l'étudiante la plus brillante du département d'aménagement paysager.

❑

La situation devient intenable.

Près du tiers de la population de la planète est morte. On jette les corps dans d'immenses charniers. On les brûle. Ou on les pousse à la mer. Quelques pays, qui ont perdu les uns après les autres plusieurs chefs d'État, ont simplement nommé président le plus stupide de leurs citoyens, sous prétexte de stabilité politique.

Pourtant, le monde ne semble pas aller si mal, dans les circonstances. Peut-être les gens intelligents ne faisaient-ils pas si bien leur travail, du temps qu'ils étaient là ?

Chez nous, le personnel politique a peu changé.

À l'université, la situation est souvent cocasse. Les professeurs ont été avisés de ne plus utiliser de mots de plus de trois syllabes. Et les étudiants ont appris à parler lentement aux enseignants, en articulant bien chaque parole, pour être sûrs d'être compris. Même une conversation entre deux personnes d'intelligence moyenne prend un temps fou parce qu'on est en train de perdre l'habitude de converser avec des gens d'intelligence moyenne.

Tout le monde traite tout le monde comme des imbéciles. Aux dernières nouvelles, les Q.I. de 110 commençaient à partir.

❏

Ça y est, je l'ai !

En me rasant, je me suis découvert dans la glace un début de tache vineuse à la base du cou. La maladie ne doit pas être très avancée, puisque la tache est plus petite et plus pâle que celle que j'ai vue jusqu'ici sur d'autres.

Mais j'ai la tache du SIC !

Un instant, j'ai songé à annuler mon cours de ce matin et à suivre immédiatement les directives du gouvernement : passer au bureau d'inscription des victimes du SIC pour faire ajouter mon nom et recevoir ma dose de Sicalon, le nouveau médicament qui atténue les douleurs de la phase terminale de la maladie. (Les chercheurs n'ont rien trouvé de mieux qu'un analgésique !)

Je n'aurais alors qu'à me laisser mourir le plus agréablement possible : en regardant un bon vidéo ou en écoutant mes disques préférés.

Mais – est-ce le sens du devoir ou l'envie de montrer à mes imbéciles d'étudiants que je suis moins stupide qu'eux ? – je ne peux résister à la tentation d'aller donner mon dernier cours. Je jette encore un coup d'œil dans la glace avant de sortir de chez moi. Ma tache ne se voit pas assez, à cause de ma veste neuve, trop serrée au cou. Je mets plutôt un chandail à col largement échancré.

J'arrive un peu en retard dans l'amphithéâtre. Les étudiants sont encore moins nombreux que la semaine dernière. Je m'assois et j'écoute avec délices les chuchotements inhabituels : les premiers à remarquer ma tache du SIC la signalent à leurs voisins.

J'ouvre mon cahier de notes soigneusement rassemblées depuis vingt ans. Mais, pour la première fois, je me surprends à improviser – au sujet de la répartition des couleurs dans les jardins de plantes vivaces. Bien entendu, je m'inspire de l'exposé de Rose Desjardins. Mais j'ajoute à sa théorie, je la clarifie, je l'approfondis tant et si bien que je suis sûr qu'aucun étudiant n'y reconnaît les idées exprimées par leur camarade.

Bref, je suis brillant. Pouvais-je faire moins pour mon dernier cours ?

Je passe ensuite au bureau du doyen, lui annoncer que je vais les quitter – lui, son université et ce bas monde. Le doyen hoche la tête tristement. Il m'a souvent dit que j'étais un des rares professeurs de la faculté avec lesquels il pouvait s'entendre.

– Ce sont toujours les meilleurs qui partent les premiers, dit-il d'un ton compassé.

«Et les plus cons qui restent le plus long-temps», ne puis-je m'empêcher de penser.

❏

En sortant du bureau du doyen, je me dirige vers le bureau d'inscription des victimes du SIC. Il y en a maintenant un peu partout dans les édifices gouvernementaux, les institutions d'enseignement, les sièges sociaux des grandes entreprises.

Le nôtre a été confié à un vieux médecin aux yeux rapprochés au fond de petites lunettes rondes. Je m'efforce de ne pas voir là un signe de débilité ; mais il est difficile de faire autrement quand on découvre soudain qu'on est le plus intelligent de ceux qui restent.

– Que voulez-vous ? me demande-t-il.

– Ma dose de Sicalon.

– Pourquoi ?

Décidément, ce vieux médecin est complètement bouché.

– Ça ne se voit pas ?

Le médecin se lève, vient examiner ma tache de plus près.

– Ce n'est pas le SIC, dit-il dédaigneusement.

— Pardon ?

— Vous n'auriez pas fait exprès de vous frotter le cou avec quelque chose — du papier de verre, par exemple, ou une corde de chanvre ?

— Moi, me frotter le cou ? Mais vous êtes malade !

— Non. Et vous non plus. Mais dites donc… vous n'auriez pas acheté un vêtement neuf, récemment ?

— J'ai acheté une veste, hier matin.

— Une veste bien fermée au cou, sans doute ? Ne cherchez pas plus loin.

Je suis atterré. Qu'est-ce que je vais dire au doyen, à mes étudiants ?

— Vous êtes vraiment sûr que je n'ai rien ?

— Tout à fait. C'est difficile d'accepter qu'on n'est pas brillant, n'est-ce pas ? Il y a même des gens qui viennent me voir pour me demander si je peux leur injecter le SIC.

— C'est possible ?

J'ai posé la question sur le ton de celui qui le refuserait si on le lui offrait.

— Bien sûr que non. Ce serait trop facile pour les patrons qui craignent de survivre à leur secrétaire ou pour les maris incapables de supporter l'idée qu'ils pourraient être inférieurs à leur femme. Mais qu'est-ce que vous avez donc tous à vouloir être intelligents ?

Je ne réponds pas.

Le médecin ôte ses lunettes, les essuie, réfléchit un instant.

– Tout cela ne vous fait-il pas penser aux dinosaures ?

– Disparus à cause de leur grande taille ?

– Oui. Et depuis longtemps on croit que l'homme sera détruit par son intelligence. On a toujours supposé que ce serait à cause des instruments de destruction qu'il fabrique. Mais peut-être se forme-t-il tout simplement dans notre cerveau des bactéries ou des virus qui combattent la croissance excessive des cellules grises…

– C'est une théorie intéressante.

Je me lève pour prendre congé. Pour l'instant, cette théorie ne m'intéresse nullement.

❏

Je n'ai rien dit au doyen. Plusieurs fois, je l'ai deviné sur le point de me demander si j'avais le SIC, oui ou non. Mais il n'en a pas trouvé le courage. Après quelques cours, il lui est devenu évident que je ne suis pas malade. Il a renoncé à m'interroger.

Quant à mes étudiants, auxquels j'avais eu l'intelligence de ne rien dire, je n'ai rien à leur expliquer. Ils ont, aussi bêtement que le doyen, constaté que je vis toujours. Et ils ne semblent pas vouloir en savoir davantage.

❏

Quelqu'un frappe à la porte de mon appartement.

Je vais ouvrir : c'est Lafleur, l'amie de Desjardins.

— Je peux entrer ?

— Oui, bien sûr.

Je la fais asseoir dans le meilleur fauteuil de mon salon. Elle regarde autour d'elle avec curiosité, comme si elle ne s'était pas attendue à ce que j'aie tant de goût dans le choix de mes meubles, tableaux et bibelots.

J'attends qu'elle me révèle le but de sa visite. Mais elle se tait. Je me sens forcé de dire quelque chose.

— Vous étiez très liée avec Desjardins ?

— Pas très. On sortait ensemble pour draguer, mais rarement pour autre chose.

Je suis assis sur le canapé, en coin avec le fauteuil. La pensée qu'elle puisse draguer les garçons me la fait paraître tout à coup plus jolie que je ne l'avais d'abord perçue, avec son grand front buté, ses lèvres charnues, ses yeux plus noirs que bruns.

Je lui offre un verre, et elle accepte un scotch.

— Est-ce que vous avez vous aussi, comme Desjardins, choisi l'aménagement paysager à cause de votre nom ?

— Jacinthe Lafleur ? Non. Rose disait que c'est plutôt un nom de fleuriste.

— Ah bon.

Il y a un long moment de silence, pendant lequel ni elle ni moi ne disons rien, jusqu'au moment où elle vide le fond de son verre, d'un trait.

– Vous vous demandez sans doute pourquoi je suis venue vous voir ?

– Oui.

J'attends. Mais elle se renferme dans son mutisme, jusqu'à ce que je lui verse un deuxième scotch.

– Vous savez ce que disent maintenant les garçons qui draguent dans les bars ? me demande-t-elle. Que les imbéciles baisent mieux.

Je souris à la pensée de ces garçons hâbleurs, prêts à dire n'importe quelle bêtise pour séduire une fille.

– Et c'est pour ça que vous êtes venue chez moi ?

Elle ne se donne pas la peine de répondre. Mais bientôt nous sommes dans mon lit. Son corps jeune et vigoureux, sa chaleur et son désir me poussent à me surpasser.

Elle n'a enlevé que ses chaussures, ses bas et sa culotte, prétextant qu'elle jouit mieux habillée. Et cela m'excite encore plus.

❏

Au matin, je lui offre du café, qu'elle refuse.

– Et puis... les garçons, dans les bars, ils ont raison ?

– Non.

Elle a dit cela sans grimace ni sourire, et je ne sais pas si je dois la prendre au sérieux. Je préfère en rire, mais je soupçonne mon rire de sonner faux.

Devant le miroir de la salle de bains, Jacinthe coiffe ses longs cheveux noirs. Je m'approche d'elle, par-derrière, et je la regarde dans la glace. Elle porte un chemisier boutonné jusqu'au cou.

Je pose une main sur le bouton du haut. Elle me laisse faire. Lentement, comme si j'allais la déshabiller pour faire l'amour encore, je défais les trois premiers boutons. Puis j'écarte le tissu.

– Toi aussi.

Elle pose la brosse, reboutonne son chemisier.

– Je suis désolé, dis-je parce que je ne sais pas quoi dire.

Elle serre les lèvres, prend son sac à main posé près de l'évier et sort.

Je lis le journal en buvant mon café. En première page, dans la chronique quotidienne consacrée au SIC, un médecin annonce que la maladie fait de moins en moins de victimes. Mais peut-être les autorités présentent-elles des nouvelles encourageantes uniquement pour éviter le désordre. À moins que la maladie de l'intelligence ne commence à être à court d'intelligences.

❏

Ce matin, je suis passé à la quincaillerie acheter du papier de verre.

Et je suis maintenant en train de me frotter la peau, à la base du cou. Voilà, ça y est. Ça ne saigne pas. Mais ça ressemble beaucoup à la tache de vin du SIC.

Après-demain, je n'aurai qu'à avaler une pleine bouteille d'aspirines.

Tout à coup, j'ai peur qu'on s'aperçoive de ma supercherie.

Mais non. Comment pourraient-ils s'en rendre compte ?

Ce sont tous des imbéciles.

Première publication :
*Dix nouvelles humoristiques
par dix auteurs québécois*, Les Quinze, 1984.

La Cadillac de mon père

Mon père a acheté sa première Cadillac deux semaines après l'ouverture du troisième salon funéraire à porter son nom : Maxime Proulx.

Bien entendu, il avait déjà acheté des dizaines de Cadillac. Mais c'étaient les véhicules indispensables à son entreprise – des corbillards et des voitures à fleurs. Jusqu'à l'ouverture de sa troisième succursale, il s'était contenté, comme voiture personnelle, d'une vulgaire Oldsmobile.

Mais il était devenu un commerçant prospère, quasiment un notable. Un parti politique avait même tenté de le recruter comme député sur la Rive-Sud. Papa avait refusé, sachant qu'il risquait de déplaire à la moitié de sa clientèle, et avait prétendu qu'il était trop occupé parce qu'il allait ouvrir bientôt un salon à Laval. Ce qu'il a fait quelques mois plus tard, parce que ce n'était finalement pas une si mauvaise idée d'après les statistiques de mortalité.

Il s'est procuré sans tarder une monumentale Cadillac Sedan de Ville. Une voiture si longue qu'elle prenait deux places de stationnement devant les salons funéraires et dans les centres commerciaux.

Maman a protesté parce qu'elle trouvait ça trop voyant. Papa a rétorqué «Justement».

❑

Dans les trente années qui ont suivi, cette voiture a été la plus bichonnée de toutes les voitures de la planète. Pendant la première décennie, par mon frère Daniel et moi. Papa nous donnait cinq dollars pour la laver tous les dimanches. Maman y passait l'aspirateur consciencieusement et gratuitement.

Tous les ans ou presque, en septembre, papa allait faire un tour chez le concessionnaire Cadillac-Chevrolet-Oldsmobile et faisait un essai sur route du dernier modèle de Cadillac Sedan de Ville. Il ressortait en hochant la tête. Daniel et moi, qui l'accompagnions, nous comprenions le sens profond de ce hochement de tête : cette Cadillac-là n'était pas aussi digne de la marque Cadillac que celle qu'il possédait déjà.

❑

Papa ne parlait pas l'anglais. Il n'en avait aucun besoin. La clientèle des salons funéraires était, à cette époque, partagée entre franco-catholiques et anglo-protestants. Papa aurait eu

beau parler l'anglais comme la reine d'Angle-
terre, aucun anglo-protestant qui se respectait
n'aurait songé à faire embaumer son vieux père
ou sa vieille mère par Maxime Proulx ou l'un de
ses employés.

Malgré son ignorance de l'anglais, ou à cause
d'elle, papa prononçait Cadillac à l'anglaise.
Comment aurait-il pu penser que le nom du fleu-
ron de l'industrie automobile américaine était
français ? Il disait donc Cad'lac en se tordant la
bouche, plutôt que Cadzillac comme ses compa-
triotes. Un soir, dans un film à la télévision, il a
entendu un Français prononcer Cadiyac avec un
accent pointu. Il n'a pas été capable de s'empêcher de le reprendre à haute voix : « Cad'lac ».

Imaginez sa surprise lorsque, rentrant du
collège après un cours d'histoire, je lui ai annoncé que l'origine de la marque Cadillac était
un certain Lamothe Cadillac qui avait fondé la
ville de Détroit. En fait, il ne m'a cru que lorsque
je lui ai apporté un livre de bibliothèque dans
lequel ce fait était mentionné en noir sur blanc.

Mais papa n'en a pas moins continué à appeler sa Cadillac Cad'lac. Qu'une voiture pareille
porte autre chose qu'un nom anglais lui semblait
impensable, sinon indécent.

❏

Lorsqu'il a fêté le vingtième anniversaire de
sa Cadillac Sedan de Ville, papa l'a soulagée

quelque peu en achetant une Cadillac toute neuve. Une Eldorado très imposante, mais quand même pas autant que sa quasi antique Sedan de Ville. L'Eldorado est devenue sa voiture de semaine, pour faire la tournée de ses cinq salons funéraires — il venait d'en ouvrir de nouveaux à Saint-Hyacinthe et à Saint-Jérôme — et il n'était pas question d'imposer à sa voiture préférée tous ces kilomètres supplémentaires.

Mais la Sedan de Ville est demeurée sa voiture du dimanche, pour les randonnées à la campagne qu'il faisait encore religieusement avec maman. Daniel et moi, nous avions passé l'âge de ces balades dominicales. Daniel travaillait au salon de Laval depuis qu'il avait obtenu son diplôme en thanatologie. Moi, bien que mon père eût voulu faire de moi son successeur à la tête de l'empire Proulx, j'étudiais la littérature à l'Université de Montréal, avec la secrète ambition de devenir écrivain et non professeur de français comme papa et maman l'imaginaient.

❏

Au début des années quatre-vingt-dix, mon père a vendu les Salons funéraires Maxime Proulx ltée à la plus grande chaîne de funérariums des États-Unis. Et il a pris sa retraite. Il n'a gardé qu'une voiture : la Cadillac Sedan de Ville, qui a dès lors commencé à rouler de moins en moins souvent. Surtout que maman était

morte et avait été la dernière cliente du salon
Maxime Proulx de Longueuil, première de
toutes les succursales.

Souvent, mon frère Daniel essayait de faire
comprendre à papa qu'il aimerait bien hériter un
jour de sa Sedan de Ville – immédiatement si
mon père décidait de cesser de conduire. Il promettait de le promener partout où papa voudrait.

Mais celui-ci a fait la sourde oreille, même
lorsque des cataractes ont fini par le convaincre
qu'il voyait trop mal pour prendre le volant. Je
soupçonne qu'il a cessé de conduire non parce
que sa santé et sa vie étaient en danger, mais plutôt parce que la carrosserie de la Sedan de Ville
risquait d'être égratignée.

Il a donc remisé la voiture dans un garage, ce
que Daniel trouvait scandaleux.

❏

Dans les années qui ont suivi la mort de
maman, la santé de papa a décliné rapidement.

Il a été hospitalisé pour un cancer du
poumon, lui qui n'avait jamais fumé. Je suis allé
le voir quelques fois avec Daniel, jusqu'au jour
où il m'a téléphoné pour me demander de venir
seul.

— Je voulais te parler de la Cad'lac, a-t-il commencé quand je suis entré dans sa chambre.

— Tu peux dormir tranquille, papa, Daniel va
en prendre bien soin, j'ai dit alors que je savais

fort bien que mon frère avait l'intention de la vendre.

— Je gage qu'il va la vendre. Tu sais combien ça vaut, une Sedan de Ville en bon état ?

— Non ?

— Trente mille dollars.

Son œil pétillait de fierté quand il a ajouté :

— Trois fois ce que je l'ai payée.

J'aurais pu rétorquer que, en dollars constants, son investissement n'avait peut-être pas été aussi brillant qu'il semblait le croire. Mais je me suis retenu.

— Je te la donne dans mon testament, a-t-il ajouté.

Il me donnait la Cadillac ? Mais c'était la dernière chose que je désirais recevoir. Quelques-uns de ses millions, oui, j'acceptais volontiers. Mais une Cadillac qui prendrait trois fois plus de place que la Tercel que j'avais tant de mal à garer dans ma rue ? Non merci.

— Y a juste une condition, a ajouté papa. C'est que tu la vendes jamais.

J'ai hoché la tête pour lui faire plaisir. De toute façon, quand il serait mort, je pourrais toujours agir à ma guise.

— Je veux, a précisé papa, que tu la donnes à tes enfants quand tu auras des enfants, puis que tes enfants la donnent à leurs enfants quand ils vont mourir, puis que…

Il s'est tu un moment. J'avais compris. Mon père voulait que son dinosaure à roulettes

devienne un mythe éternel. Il espérait, en lé-
guant à sa descendance un cadeau pareil, pro-
longer sa propre vie jusqu'à la fin des temps ou
presque. Il n'y aurait pas de rue Maxime-Proulx
à Longueuil, mais il y aurait toujours sur les
routes du Québec la Cadillac du grand-père, de
l'arrière-grand-père, de l'arrière-arrière…

J'aurais pu répliquer que je suis homosexuel
et qu'il serait bien étonnant que je lui donne des
enfants et à plus forte raison des petits-enfants.

Mais j'ai laissé tomber. Si ça la rassurait que je
lui promette de garder sa Cadillac comme le plus
précieux des patrimoines, j'étais prêt à promettre,
quitte à faire à ma tête. Personne n'est obligé de
tenir des promesses qui n'ont pas de bon sens.

Papa a-t-il deviné mes pensées ?

– J'ai fait mettre dans mon testament que si tu
vendais la Cad'lac, tu serais obligé de rendre tout
le reste à Daniel.

Là, il exagérait ! Je ne savais pas ce que c'était
le reste, mais me forcer à garder sa satanée
Cadillac, sinon il me déshéritait de façon pos-
thume, c'était trop.

J'ai décidé de lui enlever ses illusions.

– Tu sais que c'est cette année, le tricentenaire de la fondation de Détroit ?

Papa a hoché la tête pour me signifier qu'il le
savait, même si je suis sûr qu'il n'en savait rien.

– Et j'ai été invité là-bas pour fêter ça avec
une cinquantaine d'écrivains de tous les coins de
l'Amérique.

Il a souri. Que son fils, dont les trois premiers romans avaient réussi le tour de force de n'avoir pas eu une seule critique négative pour la simple raison qu'ils n'en avaient eu aucune, bonne ou mauvaise, soit invité avec d'autres écrivains à Détroit, capitale mondiale de l'automobile, ça le rassurait. Je ne me suis pas donné la peine de lui expliquer que c'était à Windsor — et non à Détroit — qu'on fêtait ça. Ni de lui dire que les écrivains invités étaient tous francophones. Ni de lui annoncer qu'on nous avait imposé un pensum abominable sur le thème «Trois cents ans de présence française au cœur de l'Amérique», qui serait publié dans un album-souvenir après les festivités. Je n'avais pas la moindre idée de ce qu'on peut raconter avec un thème pareil. J'avais même songé à me défiler à la dernière minute, comme d'autres écrivains saisis de doutes sur leur capacité d'écrire autre chose que des âneries avec un sujet aussi peu inspirant. Mais c'était la première fois qu'on m'invitait si loin et il n'était pas question que je refuse, quitte à écrire n'importe quoi, avec ou sans rapport avec le thème imposé.

Papa a souri. Pour deux raisons, je crois. Son fils serait à Détroit en compagnie de Stephen King. Et sa voiture serait transmise pour l'éternité à sa descendance.

Il avait tout pour mourir heureux.

Mais moi, je n'avais plus du tout envie qu'il meure heureux.

– Papa, tu sais qui c'était, Cadillac ?

– Le Français qui a bâti Détroit, a répondu papa parce que c'était ce que je lui avais appris trente ans plus tôt.

– Mais sais-tu quel genre de Français c'était ?

Papa a secoué la tête par politesse. Un Français qui a bâti la capitale mondiale de la voiture automobile ne pouvait appartenir qu'à la meilleure espèce de Français.

– Pour commencer, il se faisait passer pour noble, alors qu'il ne l'était pas du tout. Il se faisait appeler sieur de Cadillac, mais ses parents étaient du monde ordinaire.

– Nous autres aussi, on est du monde ordinaire, a protesté papa.

– Attends. Ce n'est que le commencement. Quand il est arrivé à Québec, il a dit à tout le monde qu'il était militaire d'expérience. Ça non plus, ce n'était pas vrai. Avant, il avait été flibustier à Port-Royal. Sais-tu ce que c'était, un flibustier ?

Papa a secoué la tête.

– Cadillac, c'était un pirate, papa. Après ça, il est allé voir Frontenac. Il lui a dit qu'il voulait s'emparer de New York, pour mettre fin aux guerres avec les Iroquois.

Maladroit, ça. J'ai vu dans les yeux de papa que son admiration pour Cadillac venait d'augmenter d'un cran : si New York avait été annexé au Québec, ça aurait été très bien pour le commerce, surtout pour le commerce funéraire.

Heureusement, j'avais de quoi faire redescendre cette admiration imméritée.

— New York, ça n'a pas marché. Frontenac l'a plutôt nommé commandant de Michillimakinac, même si Dulhut était bien plus compétent...

J'étais ravi que papa ne me demande pas où est Michillimakinac, parce que j'avais découvert le nom seulement ce matin-là dans le site Internet du tricentenaire de Détroit. J'ai repris mon attaque contre Cadillac — ou était-ce contre mon père ?

— Ça aussi, ça a été un désastre. Cadillac a vendu de l'eau-de-vie aux Indiens et a juste pensé à s'enrichir. Tant et si bien que, trois ans plus tard, les Indiens de la région préféraient vendre leurs fourrures aux Anglais. Ça n'a pas empêché Cadillac de retourner en France, pour recommander au roi d'établir une colonie là où est maintenant la ville de Détroit. Le roi a accepté. Mais le roi a fini par apprendre que Cadillac faisait affaires avec les Anglais, en plus de continuer à distribuer de l'alcool aux Indiens. Pour s'en débarrasser, il l'a nommé gouverneur de la Louisiane. Même pas six mois après son arrivée, Cadillac avait tellement mis le bordel à La Nouvelle-Orléans que tous les habitants menaçaient de s'en aller !

Je me suis tu pour regarder papa. Ça aurait dû suffire. Mais non : il n'avait pas l'air impressionné outre mesure. Vétilles, que tout cela. Donner à boire aux Indiens ? Tout le monde avait fait ça. Se faire détester par le peuple ? Les plus grands hommes politiques étaient tous passés par là.

J'ai décidé de lâcher le plus gros morceau, celui qui me semblait prouver hors de tout doute que Cadillac était un trou du cul de première classe :

— Sais-tu ce que les Français ont fait quand Cadillac est retourné en France ? Ils l'ont mis en prison avec son fils aîné.

J'ai senti que j'avais touché une corde sensible. Papa a toujours cru qu'on devrait exécuter tous les assassins et que les criminels qui sont condamnés à vingt ans de pénitencier devraient passer au moins trente ans en prison. Il a toujours été honnête. « J'ai jamais volé un mort », disait-il parce qu'il avait souvent laissé des bijoux, des montres et même parfois des portefeuilles bourrés d'argent se faire enterrer avec ses clients.

Je ne m'étais pas trompé : papa en avait assez. Il a fermé les yeux et murmuré :

— Va-t'en.

Je me suis levé.

S'il ne m'avait pas chassé, est-ce que j'aurais raconté la suite — que Cadillac a été rapidement relâché, qu'il est rentré dans les bonnes grâces de la cour, qu'il a été décoré de la croix de Saint-Louis, qu'il est devenu gouverneur de Castel-sarrasin ?

❏

Quand je suis revenu de Windsor, papa était toujours à l'hôpital et toujours vivant. Mais il m'a fait dire par Daniel qu'il ne voulait pas me voir.

Il est mort le jeudi suivant.

Il avait eu le temps de voir son notaire.

Il a laissé sa Cadillac Sedan de Ville à Daniel. Et tout le reste aussi.

Première publication :
collectif *Trois siècles de vie française
au pays de Cadillac*, 2002.

Pas mieux que mort

J'ai beau m'efforcer d'ouvrir les yeux, je ne vois rien. Je n'ai même aucune idée de ce qui m'arrive. Tout ce que je sais, c'est ce qui m'est arrivé lorsque Tony Santo m'a téléphoné (hier, me semble-t-il) :

— Quatre cents dollars pour quatre chansons, ça te dirait ?

Bien sûr, que ça me disait. Tony est ténor. Moi aussi. Et il arrive qu'il fasse appel à moi lorsqu'on l'invite à chanter pour un mariage alors qu'il est déjà pris ailleurs. Il me refile d'ordinaire le contrat le moins payant. Il a ajouté :

— C'est du monde du crime organisé. Je peux pas y aller, j'ai ma réputation.

Moi, j'ai de la chance : je n'ai aucune espèce de réputation. J'ai donc répété mon répertoire de *bel canto*. On a beau tout savoir par cœur, il est bon de s'assurer qu'on n'aura pas de trou de mémoire à cent dollars la chanson.

Une panne d'essence m'a forcé à laisser ma vieille Hyundai à un bon kilomètre de la salle de réception, sur le boulevard Gouin, au bord de la rivière des Prairies.

J'ai passé la porte, ouverte par un gros type bourru qui m'a regardé suspicieusement.

— Je suis Alberto Corelli, le chanteur.

C'est mon nom de scène. L'homme a regardé une feuille.

— Le chanteur, c'est Tony Santo.

— Je le remplace. Il a la grippe.

— Minute.

Il est disparu, est revenu avec un autre type, plus gros et plus bourru, qui m'a examiné avec le mépris que les professionnels du crime affichent envers quiconque appartient à une classe sociale inférieure. Il m'a fouillé rapidement, pour s'assurer que je n'avais pas des grenades à la place des couilles.

— Vas-y, t'es en retard, m'a-t-il ordonné.

Sur la plate-forme recouverte de moquette turquoise, un homme en smoking blanc a aussitôt annoncé ma présence :

— Mesdames et messieurs, voici un cadeau que nous offre notre ami « Moumoute » Richard du fond de sa cellule, dont il va sortir bientôt, nous l'espérons tous. Applaudissons le chanteur préféré de ces dames : Tony Santo.

Je ne me suis pas donné la peine de corriger l'erreur double : Tony n'est pas le chanteur préféré de ces dames et je ne suis pas lui. J'ai murmuré « *Funiculi* » à l'oreille du chef d'orchestre avant de me tourner vers l'auditoire.

C'est à ce moment-là que j'ai remarqué que plusieurs hommes portaient non pas un smoking ni même un complet, mais plutôt le gilet de cuir des Devil's Own, avec le célèbre écusson à tête de chérubin ornée des cornes de Lucifer.

L'orchestre ne commençait pas. Je me suis lancé, prêt à chanter *a capella*, ce qui est souvent mieux que de se faire accompagner par des musiciens avec lesquels on n'a pas répété.

Ils n'ont pas suivi. J'ai chanté de mon mieux. C'est-à-dire pas très bien, puisque je ne suis pas un très bon chanteur. Et *Funiculi, funicula* exige des prouesses vocales dont je suis incapable, mais les publics de mariage sont rarement avertis.

Il y a eu de maigres applaudissements, qui se sont vite arrêtés lorsque les convives se sont aperçus que le marié n'applaudissait pas du tout.

J'ai cru que c'était mon interprétation qui passait de travers. Je me suis aussitôt lancé dans *O sole mio*, qui est plus dans mes cordes. Tony me dit que je gueule mieux que je n'émeus. Je leur ai donc servi mon meilleur *O sole mio*, quasiment sans fausse note.

Bide total. Pas un applaudissement.

J'allais tenter *Con te partiró*, qui a fait la fortune d'Andrea Bocelli. Je savais que je ne risquais pas qu'on compare mon interprétation à la sienne, puisque peu de gens reconnaissent la chanson quand c'est moi qui la chante. Mais le maître de cérémonie m'a glissé à l'oreille :

— Encore une chanson en italien, puis t'es pas mieux que mort.

J'ai dû avoir l'air étonné, puisqu'il a ajouté :

— Tu lis pas les journaux ?

Non, je n'ai pas les moyens d'acheter des journaux. Mais j'ai deviné qu'il y avait un froid entre l'Italie et les Devil's Own. La mafia avait peut-être refroidi un de leurs chefs. Ou bien ils étaient en guerre pour le contrôle de la cocaïne à Montréal-Nord ou de la prostitution à L'Abord-à-Plouffe.

J'aurais bien voulu leur chanter autre chose, mais mon répertoire est exclusivement italien. Aussi bien demander à un spécialiste de la pizza de cuisiner une poutine.

J'ai secoué la tête. Le m.c. a froncé les sourcils, impérieusement.

Je me suis souvenu que c'était bientôt le premier juillet et j'ai entonné *Ô Canada*, seule chanson non italophone dont je connais quelques paroles. J'espérais qu'il n'y aurait pas trop de séparatistes dans la salle. Apparemment, non. En plus, je l'ai interprétée dans le style de Roger Doucet, l'ex-chanteur des matchs de hockey des Canadiens : beaucoup de volume et le strict minimum d'émotion véritable. L'orchestre, reconnaissant la mélodie, m'a même accompagné.

Je me suis contenté du premier couplet, en terminant par « … *we stand on guard for thee !* » pour faire plaisir aux quelques anglophones qu'il ne pouvait pas manquer d'y avoir dans la place.

Un triomphe ! Des applaudissements, des sif-
flets, des bravos, des tapes dans le dos quand je
me suis dirigé vers la pyramide de coupes de
champagne après avoir décidé que trois chansons
suffiraient.

Les coupes des rangs supérieurs étaient dis-
parues. Mais il en restait encore beaucoup. J'en
ai saisi une, l'ai vidée à moitié dans ma bouche,
puis à moitié sur la moquette lorsqu'une tape
dans le dos me l'a fait renverser.

Qu'à cela ne tienne. J'en ai pris une autre,
puis une troisième, puis quelques-unes encore.
J'attendais mon enveloppe, remplie de billets
que je blanchirais volontiers pour mes hôtes si ça
pouvait leur rendre service.

Combien de coupes ai-je vidées ? Presque un
étage entier de la pyramide, jusqu'à ce que le
m.c. s'approche de moi.

— La mariée veut que tu rechantes. Une chanson juste pour elle. Puis t'es payé pour quatre.

— Quelle chanson ?

— Elle l'a pas dit.

C'était embêtant, ça. J'aurais pu leur refaire
mon *Ô Canada*. Mais ça ne convient pas particulièrement à une femme qui en est au dernier
plus beau jour de sa vie.

Je suis retourné sur la scène. J'avais maintenant le public de mon côté. Surtout la mariée,
que personne n'oserait contrarier en un jour
pareil. Et le champagne me rendait quelque peu
audacieux. J'ai donc osé, en commençant par le

refrain parce que le couplet est raté, à mon humble avis, en plus d'être vachement difficile à chanter :

— *Con te partiró…*

La mariée a souri. Jolie, la mariée. Un peu enceinte, peut-être. Mais très souriante. C'était gagné. S'il y a une chanson qu'on jurerait composée spécialement pour une noce qui précède un voyage de noces, c'est bien celle-là.

Non, ce n'était pas tout à fait gagné. Les deux gros bourrus ont foncé sur moi. Ils m'ont attrapé chacun par un bras et entraîné hors de la salle, à l'arrière. Jolie vue sur la rivière, un hydravion et quelques bateaux amarrés dans un petit port de plaisance…

— On t'a dit « pas d'italien », a grommelé un des hommes.

— Mais la mariée a dit…

Je n'ai pas continué. D'une part, je ne savais pas ce que la mariée avait dit. D'autre part, un coup de poing au plexus solaire m'a coupé le souffle. À l'intérieur, l'orchestre s'est remis à jouer, comme pour assourdir le bruit de leurs coups et de mes cris.

— Mon enveloppe, ai-je eu la présence d'esprit de réclamer.

— M'a t'en faire, une enveloppe !

Les coups se sont remis à pleuvoir. Je me suis laissé tomber au sol en souhaitant que le code de déontologie des Devil's Own interdise de frapper un homme par terre. Il semble bien que non. Ils ont continué à me frapper jusqu'à ce que l'un des deux constate :

— Je pense qu'il est mort.

Je ne les ai pas détrompés.

— On a rien qu'à le pousser.

Ils m'ont fait rouler dans la rivière. Je n'ai pas senti le contact de l'eau.

Et me voilà aveugle. Comme Bocelli. Je n'entends rien, je ne sens rien, je n'arrive pas à bouger, même pas à ouvrir la bouche. Je pourrais être au fond de la rivière. Ou dans un cercueil. Ou dans une urne funéraire. Ou en enfer. Je ne serais pas du tout étonné de n'être plus qu'un cadavre.

Ce qui me fait penser que le m.c. est très doué pour prédire l'avenir.

Parce que je ne suis pas mieux que mort.

Première publication :
Le Devoir, 19 juillet 2003.

(Dans notre beau pays, des enfants innus — on les appelait autrefois des Montagnais — vivent dans des réserves une vie sans espoir. Certains d'entre eux respirent des vapeurs d'essence à la recherche de paradis artificiels. Il y a quelques années, on a eu la bizarre idée d'envoyer ces enfants en ville pour leur faire subir des cures de désintoxication.)

Dernier soir, sur un pont

Savez-vous ce que j'aime le mieux regarder, de tout ce qu'on peut regarder ici ?

Les aurores boréales.

Il n'y a rien de plus beau nulle part au monde. J'en suis sûr, même si je ne suis jamais allé ailleurs. Et celles qu'il y a ce soir sont les plus belles que j'aie jamais vues.

On dirait que le ciel est plein de rideaux que le vent pousse tout doucement. Chez nous, à la maison, on a déjà eu des rideaux un peu comme ça, dans le temps que maman était là. Quand elle est morte, les rideaux se sont usés tout seuls parce que le vent poussait dedans et ils ont fini par se déchirer tout seuls aussi. Papa les a enlevés. Mais, juste avant qu'il les enlève, ils étaient comme des aurores boréales quand les fenêtres étaient ouvertes.

Ce soir, les aurores boréales sont plus belles que nos rideaux de juste après maman, mais un peu pareilles quand même.

On dirait qu'elles dansent sans se dépêcher, au-dessus de la tête des épinettes. Je les vois très bien, parce que je suis sur le pont du chemin de fer. Juste au milieu, le meilleur endroit pour voir le ciel et les aurores boréales.

C'est mon frère Joseph qui m'a amené ici tout à l'heure. Il m'a dit de m'asseoir là avec mon sac et que j'en avais pour au moins deux heures avant que le train passe.

Je n'ai pas entendu Joseph, parce que je suis sourd, mais je comprends toujours ce qu'il me dit parce que je le regarde quand il me parle.

Alors, je me suis assis avec les pieds pendants entre les traverses et avec mon sac sur les genoux, pour admirer les aurores boréales qui bougent dans le ciel. Elles sont surtout blanches, mais des fois il y en a des un peu jaunes ou des presque roses ou des quasiment vertes.

On est en octobre. Quand il n'y a pas de nuages le soir, je trouve que c'est le plus beau mois de l'année pour les aurores boréales. Et ce soir, je trouve que c'est le meilleur soir pour ça depuis qu'on est en octobre.

Je me sens bien. Pas seulement parce qu'il y a plein d'aurores boréales dans le ciel. Pas seulement parce que je respire de l'essence dans mon sac.

Je me sens bien parce que c'est mon dernier soir ici. Et j'aime autant en profiter au lieu de me mettre à pleurer comme Joseph a fait quand il est venu me reconduire sur le pont. En partant, il a fait semblant qu'il souriait, mais je voyais bien qu'il pleurait des vraies larmes.

Ce qui le fait pleurer, c'est que demain les agents du gouvernement vont venir me chercher. Ils vont m'amener à l'hôpital, loin d'ici, dans la grande ville. Pour la désintoxication, qu'ils appellent ça.

Papa ne voulait pas. Il a dit que ça va me tuer. Et si ça ne me tue pas, il a dit que ça va tuer ce que je suis et ça, c'est encore pire.

Mais les agents ont dit que, si je continue comme ça, je vais mourir de toute façon à force de respirer les vapeurs d'essence.

Moi, je ne pense pas, parce que ça fait des années que je fais ça et je ne suis pas du tout mort. Je pense comme papa. Je pense comme mes frères, qui pensent comme papa, eux aussi. Ils pensent tous que je ferais mieux de rester, même si on ne peut pas les empêcher de m'emmener.

Mes frères ne prennent pas d'essence, eux. Maman ne les a jamais laissés faire. Papa non plus, quand maman est morte. Moi, parce que je suis sourd et que je n'allais pas à l'école, il n'a pas été capable de m'empêcher. Sans maman, papa ne pouvait pas me surveiller tout le temps.

Quand il s'en est aperçu, il était trop tard. Il a essayé de cacher l'essence, mais j'ai appris à siphonner les réservoirs du canot, de la motoneige et de la génératrice. C'est facile : je prends un tuyau de caoutchouc, j'aspire de toutes mes forces mais pas trop longtemps et l'essence pisse toute seule dans mon sac de plastique. Papa ne peut quand même pas priver tout le monde de télévision juste pour moi. À la maison, mes frères comprennent presque tout ce que disent les Blancs parce qu'ils vont à l'école. Quand on est sous la tente comme maintenant, ils ne comprennent rien à cause de la génératrice, mais ils ont les images, c'est mieux que rien. Moi, ça me dérange encore moins. Je n'entends pas la génératrice, mais je n'entends pas la télévision non plus, qu'on soit à la maison ou dans la tente.

Une fois, l'été avant le dernier, on a vu des enfants avec des sacs d'essence aux nouvelles de la télévision. On voyait qu'ils étaient de bonne humeur parce qu'ils riaient chaque fois qu'ils sortaient le nez de leur sac. Moi, j'ai ri aussi. Pas les autres.

Bientôt, quand il va commencer à neiger pour de bon, on va retourner à la maison. Ce n'est pas tellement loin. On y va en canot avec le moteur, comme on est venus. Papa fait trois voyages la même journée pour rapporter la tente et toutes nos affaires.

Il n'y a que moi qui ne vais pas retourner à la maison, parce que demain ils viennent me chercher. Papa va marcher avec moi jusqu'au chemin de fer. Le train va s'arrêter juste une minute. C'est tout arrangé comme ça. Papa va me faire monter. Il est obligé. Sinon, ils vont descendre du train et courir après moi pour me mettre à l'hôpital.

Alors, même si papa ne veut pas et mes frères non plus, ils sont bien obligés de me laisser partir.

Je ne sais pas si je vais aimer ça, la désintoxication. Je ne pense pas. Je pense que je n'aimerais pas ça même s'ils la faisaient chez nous, comme papa leur a demandé, mais ils ont dit que ce n'est pas possible à cause de la loi.

Papa m'a demandé pourquoi je n'arrêtais pas. Ce serait moins compliqué et je pourrais rester avec la famille.

J'ai essayé de lui expliquer que c'est parce qu'il y a des soirs comme ce soir, avec les aurores boréales qui flottent dans le ciel et le vent qui souffle tout doucement au-dessus de la rivière, un vent quasiment pas froid mais un petit peu froid quand même comme tous les soirs d'octobre. Dans ce temps-là, je me sens tellement bien que je ne peux pas m'arrêter. Il y a des soirs comme ce soir qui seraient bien moins bien si je n'avais pas l'essence dans mon sac. Et des jours tristes aussi que je trouve moins tristes avec mon sac.

Mes frères, Joseph surtout, voulaient prendre les carabines et tirer sur les agents quand ils vont venir me chercher. Papa n'a pas voulu. Il leur a demandé de jurer qu'ils ne feront pas ça.

Je le sais parce que mes frères et mon père, je lis sur leurs lèvres tout ce qu'ils disent. La télévision, je ne suis pas capable. Les agents non plus, quand ils viennent parler à papa. Ce n'est pas grave, parce que Joseph me raconte ce qu'ils ont dit quand ils sont partis. Mais quand c'est moi qui vais être parti avec eux, je n'aurai plus personne pour me dire ce qu'ils disent. Ce n'est pas grave, ça non plus, parce que je n'ai pas envie de le savoir.

Joseph, c'est le plus grand de mes frères.

Tout à l'heure, après le souper, papa a pris le canot avec le moteur pour aller pêcher. Il ne va jamais pêcher le soir. Mais ce soir il en avait envie parce que la pêche va être finie bientôt.

Joseph m'a dit : « C'est ton dernier soir. Veux-tu aller voir les aurores boréales une dernière fois sur le pont ? » J'ai dit oui avec ma tête. J'ai apporté mon sac. Il m'a fait asseoir au milieu du pont, face au nord, avec les pieds entre les traverses.

Il a enlevé sa montre, il l'a mise à la bonne heure et il me l'a donnée. Pas pour toujours, je pense, même s'il ne l'a pas dit. Mais peut-être qu'il trouve qu'en désintoxication j'aurai plus que lui besoin de voir si le temps passe vite ou lentement. Il a attaché le bracelet à mon poignet et il a dit : « Comme ça, tu te feras par frapper par le train de dix heures. »

Le train, c'est celui qui va passer me prendre demain matin, avec les agents. Ce soir, il ne me prend pas, parce qu'il faut qu'il aille jusqu'au bout des rails, à l'ouest. Les agents sont dedans. Ils vont dormir au bout de la voie ferrée, parce qu'il y a un hôtel, et ils vont revenir demain par le même train, qui retourne à la grande ville.

Quand maman a été malade, papa voulait que le train qui montait la prenne et aille la porter à l'hôpital tout de suite. Ils n'ont pas voulu parce qu'il y avait des malades qui rentraient chez eux et ça n'aurait pas été juste. Quand le train est revenu du bout des rails, le lendemain, maman était morte. Ils ont arrêté quand même parce qu'ils ne le savaient pas. Papa leur a dit que maman allait mieux et il l'a enterrée dans la forêt.

L'autre jour, mes frères voulaient acheter de la dynamite pour faire sauter le pont, mais papa n'a pas voulu, ça non plus. Il a dit que ça ne changerait rien, parce qu'ils enverraient d'autres agents me chercher. Et ces agents-là seraient encore plus fâchés que les agents d'avant. Mes frères iraient en prison, papa aussi, et je ne serais pas plus avancé parce que je ne pourrais pas rester tout seul. Ils m'enverraient à l'hôpital de toute façon.

C'est pour toutes ces raisons-là que je suis sur le pont. Devant la plus belle aurore boréale que j'aie jamais vue. Quatre rideaux, on dirait, maintenant. Trois blancs et un autre un peu vert, qui bougent tout doucement, comme si maman les écartait pour regarder par la fenêtre du ciel et voir s'il y a quelqu'un sur le pont.

Je respire encore un coup dans mon sac. Je n'ai jamais été aussi bien qu'en ce moment. Je pense que je vais passer toute la nuit là si personne ne vient me chercher. Je n'aurai qu'à aller sur la rive quand le train va passer à dix heures et après je reviendrai m'asseoir à la même place, même si les aurores boréales sont finies. Des fois, elles s'arrêtent de bonne heure mais presque tout le temps elles continuent toute la nuit.

Tiens, c'est drôle. On dirait que le pont tremblote. Je regarde la montre de Joseph. Elle a un bouton pour quand on veut voir l'heure la nuit. J'appuie dessus. Il est huit heures et cinq. Les aurores boréales ont commencé plus tôt que d'habitude, ce soir, parce qu'en octobre les jours raccourcissent toujours plus vite que je m'y attends.

Ça ne peut pas être le train. Il est souvent en retard, mais il n'est jamais en avance. C'est peut-être un tremblement de terre. Pas un gros, même s'il augmente encore un peu. J'ouvre mon sac. Je remets le nez dedans. Je respire à fond. Ça pue mais ça fait du bien, et puis maintenant je trouve que ça ne pue pas autant qu'au commencement.

Oui, c'est un tremblement de terre. On en a eu un, une fois. J'étais trop petit pour m'en rappeler, mais Joseph m'a tout raconté, souvent. Il

avait mon âge, dans ce temps-là. On était dans la
tente. La lanterne s'est mise à faire du bruit toute
seule même si elle n'était pas allumée. Tout le
monde s'est réveillé. Les ustensiles aussi se sont
mis à faire de la musique tout seuls. Maman avait
peur. Moi, Joseph dit que je me suis mis à pleurer. Papa a pris sa carabine parce qu'il ne savait
pas ce que c'était. Ça tremblait de plus en plus
fort. Papa est allé voir dehors. Il n'y avait rien.
Pas un ours, pas un train, rien du tout. Puis ça a
arrêté. Le lendemain, les Blancs du village ont dit
à papa que c'était un tremblement de terre. La
radio l'avait dit.

Je ne m'en souviens pas, mais je pense que ça
a dû faire comme maintenant. Sauf que maintenant, ça ne cesse pas.

Ça ressemble un peu à la manière dont le
pont tremble quand il y a un train qui approche.
J'ai presque envie de regarder derrière moi.

Mais j'aime mieux prendre encore une grande
respiration dans mon sac.

Je ne veux pas quitter des yeux les aurores
boréales, même pas une seconde. Parce que ce
soir, c'est mon dernier soir.

Première publication :
revue *Ligne Noire*, Spécial festival, 2001.

Table

Le héros de Bougainville 7

Pas beau à voir 27

Le lièvre et le requin 32

Tout mon temps 48

Prenez cinq 67

Un sandwich à Rarotonga 79

Blanc comme neige 97

Bienvenue à Montréal 137

La salope 144

L'homme qui faisait arrêter les trains 152

Mon clone à moi 173

Tous des imbéciles 183

La Cadillac de mon père 206

Pas mieux que mort 218

Dernier soir, sur un pont 225

DANGER

LE
PHOTOCOPILLAGE
TUE LE LIVRE

Deuxième tirage

Cet ouvrage
composé en Berthold Baskerville corps 12 sur 14
a été achevé d'imprimer
en janvier deux mille cinq
sur les presses de

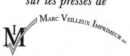

MARC VEILLEUX IMPRIMEUR INC

Boucherville (Québec), Canada.